NAPOLEON HILL MEU MENTOR

Título original: *Napoleon Hill My Mentor*

Napoleon Hill meu mentor
1ª edição: Abril 2022

Autor:
Don Green

Tradução:
Giovana Faria

Preparação de texto:
3GB Consulting

Revisão:
3GB Consulting e Leticia Teófilo (Tecendo Letras)

Projeto gráfico e capa:
Jéssica Wendy

DADOS INTERNACIONAIS DE CATALOGAÇÃO NA PUBLICAÇÃO (CIP)

Green, Don.
Napoleon Hill meu mentor : como construí uma vida de riquezas com a mentoria de Napoleon Hill / Don Green; tradução de Giovana Faria. — Porto Alegre : Citadel, 2022.
208 p.

ISBN 978-65-5047-151-4
Título original: Napoleon Hill My Mentor

1. Autoajuda 2. Sucesso 3. Desenvolvimento pessoal I. Título II. Faria, Giovana

22-1624 CDD - 158.1

Angélica Ilacqua - Bibliotecária - CRB-8/7057 Angélica Ilacqua - Bibliotecária - CRB-8/7057

Produção editorial e distribuição:

contato@citadel.com.br
www.citadel.com.br

DON GREEN

NAPOLEON HILL MEU MENTOR

COMO CONSTRUÍ UMA VIDA DE RIQUEZAS COM A MENTORIA DE NAPOLEON HILL

Tradução:
Giovana Faria

2022

SUMÁRIO

Don Green no marco histórico de Napoleon Hill.

PREFÁCIO

POR DAN STRUTZEL

Este livro irá introduzi-lo a dois indivíduos únicos. O primeiro é Oliver Napoleon Hill, que a maioria das pessoas conhece apenas como Napoleon Hill. Ele nasceu no dia 26 de outubro de 1883, numa cidade dos Apalaches chamada Pound, na Virgínia, e morreu em 8 de novembro de 1970. Nesses 87 anos, suas conquistas foram lendárias. Ele é provavelmente mais conhecido por seu *best-seller* de renome mundial, *Quem pensa enriquece*, que está entre os dez livros de autoajuda mais vendidos de todos os tempos. O livro contém muitos dos segredos do sucesso que ele aprendeu como resultado de uma comissão que recebeu do magnata do aço Andrew Carnegie para escrever a primeira filosofia de sucesso do mundo. Hill rapidamente se tornou uma potência editorial, publicando mais de dez livros *best-sellers*, vários artigos de revistas e cursos.

O segundo indivíduo, Don Green, também nasceu em uma cidade dos Apalaches – Stratton, na Virgínia –, filho de um mineiro de carvão. Desde jovem, Don tinha uma tendência empreendedora. Seu primeiro empreendimento de negócios na juventude, aos quinze anos, foi cobrar entrada para ver seu urso de estimação – sim, um urso de verdade. Depois de uma série de sucessos comerciais iniciais, ele se tornou CEO de uma associação de poupanças e empréstimos, aos 41 anos. Naquela época, a associação estava prestes a ser fechada pelas autoridades bancárias federais, tendo perdido um capital de US$ 1,5 milhão nos três anos anteriores.

Nos dezoito anos seguintes, enquanto Don era o CEO, a associação – convertida em um banco – lucrava mais a cada ano. Depois que o banco foi vendido e Don se aproximou dos sessenta anos, os curadores da Fundação Napoleon Hill pediram a ele que se tornasse diretor-executivo e administrasse os assuntos diários da fundação.

Como sua formação era em bancos, Don tinha pouco conhecimento sobre publicação de livros. No entanto, teve muitos anos de experiência como banqueiro e como proprietário de diversos negócios nas mais diversas áreas, desde a imobiliária até a de lavanderia. Isso, somado ao seu amor por livros e aprendizado, especialmente às obras de Napoleon Hill, o levou a transformar o trabalho da fundação, elevando-a a um novo nível de sucesso.

Você pode dizer que Don Green, CEO da Fundação Napoleon Hill até hoje, teve sucesso ao aplicar os princípios que seu mentor, Napoleon Hill, discutiu em suas muitas publicações. Neste livro, você desenvolverá uma compreensão mais profunda desses dois indivíduos ilustres.

Eu tive o privilégio de conhecer esses dois grandes homens – um indiretamente, por meio de suas grandes obras escritas e discursos poderosos, e o outro diretamente, por meio de um relacionamento de trabalho de longa data que se estende por mais de quinze anos. Como ex-vice-presidente da Nightingale-Conant Corporation, há muitos anos tive a honra de ajudar a produzir e publicar alguns dos clássicos títulos de áudio de Napoleon Hill. Foi então que comecei a trabalhar com Don Green, na negociação de acordos comerciais para expandir o alcance do conteúdo da Napoleon Hill em todo o mundo. Continuei e me aprofundei nesse trabalho com Don, desde a formação da Inspire Productions, em 2014, para que, juntos, pudéssemos continuar a desenvolver o legado editorial de Napoleon Hill. E posso dizer, em primeira mão, que Don Green é a própria definição de cada característica de personalidade que Napoleon Hill discutiu – um homem da maior integridade, profissionalismo, franqueza e sabedoria.

Don não apenas discutirá os princípios de sucesso que tornaram Napoleon Hill famoso, mas também compartilhará um pouco de seu conhecimento pessoal sobre Hill, incluindo histórias e ideias sobre ele que nunca foram mencionadas publicamente.

O melhor de tudo é que Don Green vai convencê-lo de que os princípios por trás dos clássicos de Napoleon Hill, como *Quem pensa enriquece*, escritos há mais de oitenta anos, são mais vitais e relevantes do que nunca. Ele vai ensinar-lhe os princípios, descrevendo aqueles que foram mais importantes para ele, e vai lhe apresentar maneiras práticas de colocar o poder de Napoleon Hill a seu favor.

Você vai aprender as ferramentas necessárias para revelar os segredos do crescimento, da criatividade, do poder e da realização que existem dentro de cada um de nós. Esses são essenciais para qualquer profissional do ramo dos negócios que esteja buscando o conhecimento e a inspiração necessários para descartar o medo e obter sucesso pessoal e profissional. Se você está pronto para aplicar as ferramentas comprovadas de Hill para o sucesso e transformar seus sonhos em realidade, continue lendo. Você está prestes a ouvir sobre como esses dois indivíduos, ambos nascidos em cidades rurais dos Apalaches e que começaram com poucos recursos financeiros, viveram o sonho americano.

Se eles conseguiram, você certamente conseguirá também e poderá realizar todos os seus sonhos.

Dan Strutzel é presidente da Inspire Productions e ex-vice-presidente executivo de publicações da Nightingale-Conant Corporation. Ele publicou alguns dos programas de áudio de maior sucesso da história. Dan é um veterano de 28 anos na indústria de desenvolvimento pessoal e trabalhou "de perto e pessoalmente" com várias centenas de autores e palestrantes – incluindo Tony Robbins, Brian Tracy, Jim Rohn, Denis Waitley, Marianne Williamson, Harvey Mackay, Deepak Chopra, Robert Kiyosaki, Wayne Dyer e Zig Ziglar. Dan é o autor de *30 Days to a More Powerful Vocabulary*, *30 Days to a More Powerful Business Vocabulary* e *The Top 1%*, publicado pela G&D Media. Dan é formado pela Universidade de Notre Dame.

CAPÍTULO 1

FILHO DE UM MINEIRO DE CARVÃO

Tenho paixão pelo que faço e pelos resultados que obtive na vida de outras pessoas. Criei um curso que chamei de "Chaves para o Sucesso". Eu não queria usar o *Quem pensa enriquece*; deixei as pessoas pensarem que o curso era apenas sobre dinheiro. Havia dezessete princípios que elas podiam usar e aplicar no dia a dia.

Minha primeira aula foi noturna. Havia uma mulher nessa aula que era contadora, mas queria ser advogada, para fazer trabalhos jurídicos para empresas, pois ela já conhecia questões tributárias. Eu a vi recentemente, e ela disse: "Don, tenho ansiado por encontrar com você! Outro dia estava olhando um trabalho de quando participei da sua aula. Eu lhe disse que meu objetivo era me tornar advogada corporativa. Você escreveu no final: 'Não me diga. Vá lá e faça isso acontecer'".

Adoro as histórias dos jovens nas minhas aulas. Eles saíram pelo mundo e se tornaram contadores ou proprietários de negócios. Depois de obterem essa inspiração, quase nada pode detê-los. Tive muitos jovens em minhas aulas, mas também tive pessoas mais velhas, incluindo fazendeiros e médicos.

No final, tudo se resume ao quanto você realmente quer ter sucesso. Esses alunos queriam muito. Muitos começaram sem nenhuma oportunidade na vida. E não, isso não é um reflexo de seus pais. A maioria de nossos pais fez o melhor que pôde com o que tinha. Para mim, é muito gratificante que esses alunos tenham oportunidades e aproveitem ao máximo, pois percebo que alguns deles são a primeira geração de suas famílias a cursar faculdade. Assim que fui para a faculdade e me formei, sabia que, quando minha filha nascesse, ela iria para a faculdade. Quando um neto nasceu, a primeira coisa que fiz foi garantir uma graduação de quatro anos a ele. Torna-se uma suposição: presumimos que nossos descendentes seguirão em nosso caminho. Acho que é assim que curamos a pobreza.

Muitas pessoas nascidas na pobreza simplesmente aceitam essa condição. Por exemplo, um dia eu estava conversando com um homem cujo filho frequentava a mesma escola que a minha filha. Eu disse: "Claro, seu filho irá para a faculdade". Ele usou algumas palavras bem escolhidas e disse: "Ele não vai a lugar nenhum. É muito caro". Eu me voltei para ele e afirmei: "Não é tão caro quanto a ignorância".

Muitas vezes as crianças precisam apenas de um pouco de incentivo. Elas podem ter crescido em lares em que as pessoas lhes diziam repetidamente que não estavam preparadas para a vida, impedindo assim que elas percebam e compreendam seu potencial.

Duas maneiras de aprender

Aprendemos de duas maneiras: com as pessoas e com os livros. Se não ouvirmos os outros, não temos uma boa chance de progredir na vida. Aceitamos certas coisas como destino, embora possamos mudá-las. Mas a leitura e o convívio com outras pessoas com certeza nos influenciam.

Eu leio muitos livros. Às vezes você pega apenas uma ideia, algo que você quer anotar, ou lê um livro e este se refere a outro livro. Você então compra esse livro para ver o que o autor do primeiro aprendeu com ele. A educação é um processo que dura a vida toda. Já disse mil vezes aos meus alunos: "Pense na educação como uma ponte. É uma ponte para levá-lo de onde você está para onde deseja ir". É simples assim, mas você precisa de alguns meios para chegar lá. Se apenas aceitar a sua condição, que nasceu na pobreza, que seus pais estão na pobreza e tudo o que eles sempre conheceram foi a pobreza, você simplesmente aceitará seu destino.

Em algum lugar ao longo da vida, percebi que a maioria das pessoas simplesmente começa a dar desculpas: "Meus pais não me mandaram para a escola certa; pago impostos muito altos; não há oportunidades". Publiquei um pequeno livro chamado *Your Greatest Power* [O seu maior poder], de J. Martin Kohe, um psicólogo com quem nosso presidente fundador, Sr. W. Clement Stone, trabalhou. Vendeu mais de um milhão de cópias. São apenas 96 páginas, mas explica exatamente o poder que temos de escolher. Esse é o maior poder que todos nós temos.

O conceito de "dois envelopes" ilustra o princípio da escolha. Napoleon Hill falou sobre isso em um programa de rádio em 1955. Ele disse que, no momento do nascimento, cada um de nós traz consigo o equivalente a dois envelopes lacrados. Um contém uma lista de riquezas que podemos desfrutar tomando posse de nossas mentes e usando-as para alcançar o que desejamos na vida. O outro envelope contém uma lista de penalidades que a natureza exigirá de nós se deixarmos de reconhecer e usar nosso poder mental.

Você se levantou nesta manhã e decidiu ler este livro. Poderia ter saído para jogar futebol, para usar drogas, ou ter ficado em casa assistindo à televisão. Temos a capacidade de fazer essa escolha. As escolhas que fazemos se tornam hábitos. Os hábitos, por sua vez, definem quem somos, bons ou maus. Nossas mentes aceitarão informações positivas; elas também aceitarão informações negativas. Aquilo em que mais nos concentramos e ao qual damos ênfase é o que temos maior probabilidade de nos tornar.

Primeiros anos

Nasci em 1941, filho de um mineiro de carvão que nasceu em 1917. Ele se casou com minha mãe, que na época estava a dois meses de completar catorze anos (muitas vezes as meninas se casavam cedo em busca de uma vida melhor). Mamãe vinha de uma família de dezesseis filhos, todos os quais viveram até atingir a maturidade, com vários deles, incluindo minha mãe, vivendo até os noventa. Meus pais tiveram educação até o sétimo ano. Minha mãe disse que até a professora tinha apenas o sétimo ano do ensino fundamental. Meu irmão mais velho nasceu quando minha mãe tinha dezesseis anos e, antes dos 22, ela deu à luz quatro filhos. Aos 27 anos de idade, ela deu à luz uma menina.

Meus pais viveram durante a Grande Depressão, mas meu pai nunca ficou desempregado ou procurou assistência federal, mesmo durante um período de meses após um acidente que colocou sua vida em risco quando ele trabalhava como minerador subterrâneo. Suas costas quebraram em uma queda de pedras, e ele não conseguia andar sem muletas. Os mineiros subterrâneos ganhavam cerca de US$ 6 por dia. A remuneração do trabalhador era de US$ 15 por semana. Em vez de receber a compensação, papai aceitou um emprego como motorista de caminhão de carvão por US$ 5 por dia até que suas feridas cicatrizassem a ponto de o médico da empresa liberá-lo para trabalhar na mina.

Lembro-me de quando era criança, vi mamãe seguindo papai até a caminhonete, com ele de muletas, e depois o vi entrar na caminhonete. Mamãe entregava as muletas e o almoço que ela havia embalado para ele (nunca me ocorreu perguntar como ele ia ao banheiro durante o dia). Ele tinha muito orgulho de ser autossuficiente e sustentar uma esposa e cinco filhos.

Meus pais sempre me ensinaram sobre trabalho. Minha mãe disse mil vezes: "O trabalho duro nunca matou ninguém". Ela sempre tinha vários ditados na manga, como "Você não pode gastar o dinheiro que não tem", "Não deixe um pouco de dinheiro queimar seu bolso"[1], "É preciso dinheiro para andar de trem", e muito outros, para tentar nos manter no caminho certo. Ela disse: "Você não pode desperdiçar seu dinheiro. Seu pai rasteja por aquele buraco dia e noite, e você nunca sabe quando ele pode se machucar ou até mesmo morrer". Lembro-me de ouvir coisas como "Se você contar às pessoas o que vai fazer, certifique-se de fazer exatamente o que disse a elas". Se você levava um castigo na escola, ganhava outro quando chegava em casa, porque seus pais sabiam que a professora estava certa.

---

1. O dinheiro não está queimando os seus bolsos da calça para você querer gastá-lo com algo que não precisa. (N.E.)

Eu adorava ler livros, principalmente biografias. Quando comecei a oitava série, tínhamos uma bibliotecária chamada Srta. Barr, que parecia proteger os livros com a própria vida. Ela não nos deixava pegar mais de um por vez. Um livro podia ser suficiente, exceto durante os fins de semana ou fechamentos de escolas por causa do clima, mas resolvi esse problema. Lembro-me como ontem, embora tenha sido há cerca de 65 anos. Havia gêmeas que trabalhavam na biblioteca em horários diferentes do dia. Elas eram mais velhas do que eu. Eu não conseguia distingui-las, mas ambas eram lindas – eu era apaixonado por elas, mas temo que tenha sido uma via de mão única. De qualquer forma, eu escolhia um livro, o colocava no meu armário, voltava no final do dia, entre as aulas, e retirava outro livro quando a outra gêmea estava trabalhando. Era um belo negócio.

Ainda me lembro de minha mãe dizendo: "Juro que você vai ficar cego de tanto ler". Eu deixava o livro de lado por talvez um ou dois minutos e o pegava de volta. Simplesmente não conseguia ficar longe dos livros. Não é difícil entender por que apoio a leitura e doei milhares de livros, e ainda o faço hoje. Um dia, enquanto eu estava visitando minha mãe, que tinha então oitenta ou noventa anos, ela disse: "Don, alguém está sempre me contando sobre os livros que você deu para as crianças. Você acha que elas os leem?". Respondi: "Mãe, espero que sim, porque esta criança aqui leu, e fez uma grande diferença na minha vida. Sim, se alguém os lê e se inspira, já vale a pena".

Trabalho em finanças

Quando eu tinha cerca de 21 anos, consegui um emprego em uma agência de financiamento ao consumidor com um salário mínimo de US$ 1,15 a hora e eu estava radiante de felicidade. Tinha meu próprio cartão de visita no qual se lia "gerente assistente", mas, na realidade, passava o dia na rua cobrando clientes. Entrei no escritório e recebi uma rota que continha vinte ou mais cartões com os nomes das pessoas, endereços, locais de trabalho, cronogramas de pagamento, garantias (se houvesse), os valores devidos e os nomes dos signatários do empréstimo.

Já gostava de livros e de áudios, que eram fitas cassete na época. Exceto pelas muitas paradas, ficava sentado em meu carro velho o dia todo. Eu lia os líderes de autoajuda – Napoleon Hill, Zig Ziglar, Denis Waitley, Ed Foreman e outros –, embora estivesse ganhando US$ 1,15 a hora, com menos de sessenta centavos de hora extra. Nunca reclamei. Ainda estava feliz porque estava me nutrindo com materiais educacionais que eu sabia que me levariam longe.

Pelo uso do carro, eu recebia US$ 0,75 por quilômetro rodado. Phyl, minha esposa, embalava sanduíches, geralmente com manteiga de amendoim e geleia ou mortadela. Era um prazer, para mim, poder parar e pegar uma Pepsi ou algo para beber. Investi em outras fitas cassete e livros e rapidamente descobri que Napoleon Hill havia nascido no condado de Wise, que era nosso lar. Ele era um dos favoritos, porque parecia que todos os outros haviam aprendido com ele.

Não apenas li os livros de Hill e ouvi sua voz, mas também tentei ler os livros que ele leu, especialmente os autores que ele citou, como Orison Swett Marden, Samuel Smiles, Elbert Hubbard, John Dewey, Ella Wheeler Wilcox, William James, James Allen e Ralph Waldo Emerson (Hill usou o ensaio de Emerson, *Compensation and Self-Reliance* [Compensação e autoresiliência] como material). Ainda tenho uma cópia de *Como pensamos*, de Dewey, publicada em 1910.

Como Hill, Marden havia lido Samuel Smiles. Ele tinha dois diplomas, um em medicina e outro em direito, em Harvard. Escreveu livros como *Uma vontade de ferro*, *Every Man a King* [Todo homem um rei] e *Empurrando para a frente*. Ele também foi fundador da revista *Success*, em 1897.

Samuel Smiles havia escrito um livro chamado *Self-Help* [Autoajuda] em 1859. Acredito que tenha sido o primeiro livro de autoajuda já publicado. Ele escreveu sobre pessoas que praticavam a persistência, como James Watt, que aperfeiçoou o motor a vapor. Ele também escreveu sobre Josiah Wedgwood, que passou anos e anos aperfeiçoando a famosa porcelana Wedgwood.

Como Hill, Smiles escreveu sobre pessoas superando adversidades, mas, enquanto Smiles simplesmente coletava suas histórias de jornais ou outras fontes e as reescrevia com as próprias palavras, Hill saía e entrevistava as pessoas individualmente. Ele entrevistou mais de quinhentas pessoas, e acho que isso fez muita diferença. De qualquer forma, meu interesse por Napoleon Hill e seu sucesso me acompanhou durante toda a minha carreira.

Na agência de financiamentos, acho que recebi o melhor treinamento do mundo, porque aprendi o que não fazer. As pessoas diziam: "Usaremos o dinheiro para comprar comida, roupas e abrigo para ter uma vida confortável". Não é que elas não ganhavam dinheiro, é só que nunca aprenderam a cuidar dele de forma sábia. A maioria delas não planeja falhar; simplesmente falham em planejar.

Meu pai nunca teve problemas com dívidas. Ele construiu uma bela casa de tijolos e pagou com US$ 4 mil, a maior quantidade de dinheiro que ele já pediu emprestado na vida. Não acreditava em sair comprando coisas no crédito. Ele cuidou do nosso dinheiro. No entanto, ao mesmo tempo, contribuíamos com a igreja e outras coisas. Aprendi muito com ele.

Minha carreira começou com o desejo de ganhar dinheiro porque meu pai trabalhava em minas subterrâneas de carvão, uma profissão muito perigosa. Além de desabamentos de tetos e máquinas pesadas, os mineiros frequentemente desenvolviam uma doença chamada pulmão preto, causada pela respiração do pó de carvão. Naquela época, a expectativa de vida de um mineiro era cerca de vinte anos menor do que em outras profissões.

Meus pais forneciam comida, roupas e abrigo, mas eram econômicos, por necessidade. Frequentemente, quando criança, eu pedia dinheiro, e eles me diziam: "Querido, não podemos desperdiçar nosso dinheiro. Seu pobre pai rasteja pelas minas diariamente para ganhá-lo". Muitas vezes me disseram: "Nada pode substituir a emoção de saber que você ganhou o próprio dinheiro". Isso facilitou a prática de economizar e fazer um exame de consciência antes de gastar o dinheiro recebido. Ensinar os jovens a economizar é uma lição valiosa, mesmo que eles não precisem. Ensiná-los a valorizar o dinheiro é uma lição que durará a vida toda e lhes proporcionará recompensas generosas.

O poço da cobra

Em uma época, trabalhei num poço de cobras. Eu sabia que havia lugares onde eles exibiam e vendiam cobras em Silver Springs, na Flórida. Meu pai tinha um amigo que se chamava Bates, e, certa vez, de férias, ele pegou cobras e levou meu pai, e eu fui junto.

Então aprendemos a pegá-las nós mesmos. Realmente não é difícil. Elas eram cascavéis e serpentes-mocassim-cabeça-de-cobre. As colocamos em uma mochila. Havia uma pequena construção perto da estrada que era usada para vender maçãs de um pomar familiar. Fizemos um poço de 2,5 a 3 metros de profundidade, com fundo de concreto. Soltamos as cobras nele e fizemos pequenos cartazes: "US$ 0,25 para ver os répteis; US$ 0,10 para crianças menores de dez anos".

Eu tinha um amigo mais velho que dirigia um caminhão da Royal Crown Cola. Ele tinha grandes placas que diziam "Royal Crown Cola", mas na parte inferior havia uma faixa branca onde se poderia colocar o nome da empresa. Pintamos "Indian Mountain Reptile Garden à frente" nas faixas e as colocamos em ambos os lados da estrada. Naquela época, não tínhamos licenças; apenas enfiávamos o dinheiro nos bolsos. Então papai fez uma pequena construção com madeira rústica de cerca de três a cinco metros. Colocamos uma máquina de refrigerante do lado de fora.

No início, começamos a vender salgadinhos – batatas fritas e biscoitos. Mais tarde, adicionamos mais alguns *souvenirs*. Fui a um lugar a cerca de duas horas de carro perto de Cumberland Gap, onde você podia comprar *souvenirs*. Comprávamos cinzeiros. Eles custavam menos de um dólar e continham histórias em quadrinhos. Para fazer *souvenirs* com eles, tudo o que você precisava era comprar pequenos adesivos com os dizeres "Indian Mountain Reptile Garden, U.S. 23" e colá-los nas embalagens. Você poderia vendê-los por US$ 1. Em muitos dias, quando vendia *souvenirs*, ganhava mais de US$ 100. Se você tem quinze ou dezesseis anos, isso é muito dinheiro. Claro, foi uma temporada muito curta, começando quando saímos da escola, e praticamente acabando perto do Dia do Trabalho, porque as pessoas não estavam mais viajando depois disso.

Com esse negócio, aprendi muito mais do que na escola. As pessoas se identificavam dizendo "Eu trabalho com seu pai nas minas". No verão, elas vinham e paravam, e havia sempre um ou dois carros as seguindo com placas de fora do estado. Morávamos em uma área rural, onde não havia muito o que fazer de diversão. Parecia que, sempre que as pessoas tinham parentes visitando, elas os levavam para o poço das cobras (claro, também adicionei um urso, macacos, gambás, linces e pássaros exóticos). Elas traziam as pessoas e me diziam: "Trouxe meu cunhado, ele está vindo aqui de Ohio para passar as férias".

Eu dizia: "Da próxima vez que você trouxer alguém aqui, poderia me fazer um favor e mostrar a cidade. Não vou cobrar US$ 0,25 para entrar". Todos eram mineiros de carvão e ficavam maravilhados de poder se destacar. Então, eles diziam: "Tenho que comprar algo para levar de volta". Não era nada para eles gastar US$ 20, US$ 30, US$ 40, US$ 50 ou mais em *souvenirs*. Acho que aprendi a induzir as pessoas dizendo: "Ei, me faça um favor". Elas adoravam fazê-lo. Desisti de um quarto de dólar em troca de mostrarem o lugar para outras pessoas. Ninguém teve que me ensinar isso. Parecia ser uma coisa comum de se fazer. Além disso, eu gostava de cada minuto. Essa foi minha primeira grande aventura empresarial.

Empreendimentos comerciais

Também tive minha própria imobiliária. A maior parte da riqueza que fez este país foi gerada no mercado imobiliário. Aprendi a comprar algo e pagar por isso. Vi muita gente cometendo erros: comprando muito com dinheiro emprestado. Mas, se um investimento não der retorno, ele se torna um crocodilo. E vai comê-lo vivo.

Também fundei uma lavanderia. Como já havia iniciado no ramo dos negócios, usava terno todos os dias. Não fiquei satisfeito com os resultados que obtive da limpeza. Gastei US$ 39,95 em um pequeno *kit* que vi anunciado na revista *Inc.*, que mostrava como operar uma lavanderia. Estudei e estudei isso profundamente.

Apresentei a ideia a alguns amigos. É um negócio fácil de se administrar. Adicionei um serviço de lavagem de um dia para o outro e um *drive-in* para que as pessoas não precisassem sair do carro – coisas que elas realmente queriam.

Na área, tínhamos três lavanderias velhas e desatualizadas. Eles tinham coisas empilhadas pelo chão que pareciam que estavam ali havia anos. Então, operamos de maneira moderna. Tínhamos ladrilhos no chão e um balcão de granito aceitável. Se você parasse pela primeira vez, eu lhe dava uma sacola para colocar suas roupas, e o balconista escreveria nela: "Camisas dobradas para viajar", "goma leve" ou "sem goma". A sacola levava o nome da empresa – "The Cleaners". Éramos nós. Nunca gastamos um centavo em publicidade – nada de anúncios ou cupons.

Cobrávamos mais do que os outros, mas entregávamos as peças lavadas no dia seguinte. Conversei com uma senhora que havia trabalhado anos para outro lugar; quando eu disse a ela que faria os serviços em um dia, ela disse: "Você não pode fazer isso".

"Deixe-me perguntar uma coisa", comecei. "Digamos que alguém passe por aqui e deixe alguns ternos e quatro camisas brancas. Você os aceita e os entrega aos funcionários para que comecem a trabalhar agora. Quanto tempo leva para preparar as camisas? Estou falando sobre lavar, engomar, passar e dobrar".

"Cerca de três horas", respondeu ela.

"E os ternos?"

"Aproximadamente o mesmo."

"Então", eu disse, "por que não os fazemos tão rapidamente quanto os recebemos? Eu sei ao que você está acostumada, porque já estive no lugar onde você trabalhou. Eles jogam as coisas no chão por três ou quatro dias até que alguém diz 'Isso tem que estar pronto amanhã', e então eles começam a trabalhar nisso".

A mulher nunca acreditou que aquilo funcionaria, mas concordou. Eu não sabia fazer nada em uma lavanderia, mas sabia como tratar as pessoas.

Então aconteceu de eu estar lá num sábado quando alguns garotos trouxeram seus uniformes. A escola estava retomando as aulas. Eu disse às crianças: "Não vamos cobrar de vocês pelos uniformes. Podem dizer às outras crianças que lavaremos os uniformes de graça".

Assim que eles saíram, a balconista alertou: "Desse jeito você vai à falência".

"Acredite em mim", eu disse, "nós temos dinheiro. Sabemos o que estamos fazendo. Você apenas faça seu trabalho e aprenda com ele, porque aqui está o que vai acontecer: nem todos vão dar o devido valor, mas muitos vão chegar em casa gritando 'Mamãe, você não vai acreditar! Eles não me cobraram para lavar meu uniforme!'. Se eles ainda não são nossos clientes, é muito provável que passem a ser".

Um dia eu disse: "Quando entrarem pessoas que tiveram uma morte na família, não cobrem nada delas".

Novamente ela voltou: "Estamos tentando quebrar?".

"Não, não vamos quebrar. Alguma vez você ficou sem receber seu salário? Temos dinheiro e estamos ganhando dinheiro. Muitas pessoas vão nos recompensar; algumas não vão, mas isso é problema delas."

Algumas pessoas simplesmente nunca aprenderam isso. Acho que é a maneira como fui criado. Me parecia natural fazer um favor a alguém se isso não fosse me quebrar. Eu via isso como um investimento. Essa era uma forma muito melhor de publicidade, pois os advogados, por exemplo, conversam entre si. Eles falavam um para o outro que podiam deixar suas roupas, ir passar um dia no tribunal e voltar no fim do dia para buscá-las.

Lembro-me de um em particular; não vi seu nome na minha lista de clientes. Um dia eu o vi e comentei: "Greg, não estou vendo você usando minhas lavanderias".

"Bem", disse ele, "minha esposa não sabe lavar roupas, mas aprendi quando estava no Exército."

"Greg, deixe-me dizer uma coisa. Você faz alguns trabalhos jurídicos para mim." Acredito que ele estava cobrando US$ 75 ou US$ 100 por hora. "Em vez de gastar tempo lavando as próprias roupas, você deveria trabalhar onde ganha mais dinheiro."

"Entendi", ele concordou. Então começou a usar nossa lavanderia e contou a todos quanto tempo ele estava economizando por não ter mais que lavar a roupa nos fins de semana.

Negócios bancários

Quanto à carreira bancária, trabalhei para uma empresa chamada Time Finance (mais tarde foi CIT) nos campos de carvão, e eles tinham cerca de doze escritórios no norte dos Apalaches, com um supervisor cuidando de todos eles.

Os caras que trabalhavam por lá já por um tempo me chamavam de "figurão", porque eu tinha muita energia. Eu tinha 21 anos, e aqueles caras já eram gerentes havia muito tempo. Eles provavelmente não estavam indo a lugar nenhum. Nosso supervisor me contava sobre a abertura de um escritório em Indianápolis. A CIT havia comprado duas ou três pequenas empresas e as juntou, então, possivelmente, haveria algumas vagas.

Eles me ofereceram Plainfield, em Indiana, que fica nos arredores de Indianápolis. Era um pequeno escritório em um pequeno shopping center. Eu só tinha uma balconista trabalhando para mim.

Ela já estava lá havia bastante tempo e conhecia os clientes. Então acabei de fazer o que sabia: buscar novos clientes sendo amigável com as pessoas e facilitando o empréstimo de dinheiro para elas. Em nenhum momento o escritório esteve em ótimas condições. Aos vinte e poucos anos, eu era o gerente de filial mais jovem da história da CIT.

Depois teve o escritório no centro de Indianápolis. Ficava em frente à Eli Lilly, fabricante de medicamentos. O gerente anterior havia morrido, então eles me ofereceram aquele cargo. Estava em péssimo estado, devido à inadimplência e a outros fatores. Uma vez por mês, tínhamos uma reunião com todos os gerentes das filiais.

Quando assumi esse escritório, o pessoal começou a comentar. Eles disseram: "Rapaz, quem quer que seja que vá assumir o escritório do Don lá em Plainfield, vai estar nas nuvens. Ele tinha um escritório muito bom". Outros falaram: "Ao contrário, vai ser difícil pra quem pegar esse escritório, pois a pessoa terá que manter o mesmo nível do Don".

Assumi esse segundo cargo e me saí muito bem. Assim que comecei, eles sugeriram que o gerente recebesse 50% dos pontos de um novo cliente, de um ex-cliente, e pelo crescimento dos empréstimos pendentes. Os outros 50% seriam divididos entre outros funcionários.

Fiz uma reunião de equipe na qual disse: "A primeira coisa que vamos fazer é reescrever as regras. Eles não disseram que tínhamos que dividir os pontos dessa forma. Foi uma sugestão. Então, vamos dividir os pontos igualmente".

Fui a uma reunião de gerentes em Louisville, Kentucky; havia talvez trezentas ou quatrocentas pessoas, e eu estava sentado no fundo. O presidente disse: "Don Green, você poderia começar?". Eles queriam saber como eu havia conseguido. Falei: "Eu não consegui. *Nós* conseguimos". Isso é algo que aprendi há muito tempo: nunca tive ninguém trabalhando para mim. Tenho pessoas trabalhando *comigo*. Isso faz toda a diferença no mundo.

Já vi gerentes se sentarem, fazerem um orçamento e dizerem: "Isso é o que vou fazer". Eu, porém, pergunto aos funcionários: "Dan, o que você acha que poderíamos fazer neste mês? John, o que você acha que podemos fazer aqui?". Normalmente, eles definirão objetivos mais elevados do que eu definiria, mas o importante é que eles estão fazendo parte disso; estão trabalhando juntos nisso.

Você não ganha muito dando ordens às pessoas. Por outro lado, se você as faz trabalhar junto e ver que todos, e não apenas quem está no topo, vão ganhar com isso, as recompensas são bem maiores. Às vezes as pessoas, principalmente quando são promovidas cedo, pensam que têm muito controle e podem agir como ditadores: "Você faz isso, você faz aquilo". E os funcionários pensam: "Eu vou enquanto você estiver me observando, mas, quando você não estiver...".

O palestrante motivacional Zig Ziglar uma vez me disse que, quando estava em uma fábrica, perguntou a um dos trabalhadores: "Há quanto tempo você trabalha aqui?". O trabalhador respondeu: "Desde que eles ameaçaram me despedir". Acho que isso demonstra grande parte desta atitude: "Você recebe o grande salário, então farei apenas o suficiente para sobreviver". Porém, quando os funcionários se unem, você tem uma organização totalmente diferente.

Certa vez, vi um anúncio procurando um gerente de financiamento ao consumidor. Fiz contato com eles e consegui um emprego em Kingsport, no Tennessee. Era propriedade de uma grande agência de financiamento ao consumidor que tinha vários escritórios por toda parte. Eles me deram o emprego, então me mudei de Indianápolis. Embora tenha mudado de empresa, nunca fui despedido em toda a vida e nunca fiquei sem emprego.

Um novo banco foi aberto em Wise County, na Virgínia, a cerca de uma hora de distância de onde eu morava. Um homem chamado James A. Brown me ligou. Ele abriu um banco quando tinha 29 anos. Hoje em dia, é mentor. Passei seis horas com ele algumas semanas atrás; simplesmente o amo. Ele é muito bom; é possível escrever histórias e histórias sobre ele. Enfim, ele disse que o banco tinha um ano. Eles tiveram algumas dificuldades, e meu nome apareceu. Ele gostaria de me entrevistar. Perguntou: "Você viria aqui qualquer dia desses?".

"Bem, Jim, as pessoas para quem trabalho têm sido muito boas comigo. Consegui concluir uma graduação e estou me preparando para me inscrever em um mestrado. Sei que estou sendo promovido para tesoureiro – uma posição superior. Sempre foi meu sonho entrar no setor bancário, mas não posso ir durante a semana."

"Por que não?"

"Bem, essas pessoas estão me pagando. Vou em um sábado ou domingo, se você quiser."

Jim disse ok, então marcamos um horário para que eu fosse ao seu escritório. Lembro-me dele dizendo: "Sabe, se você trabalhar um pouco mais, se você se esforçar um pouco mais num dia, provavelmente ninguém vai notar. Se fizer isso por uma semana, ainda assim provavelmente ninguém vai perceber. Mas, se continuar a fazer um pouco mais do que todos ao seu redor no longo prazo, será um sucesso com o qual outras pessoas apenas sonharão". Ainda me lembro disso – foi em 1975.

Ele me deu um emprego, e fui a segunda pessoa no banco. Eles tinham uma empresa de processamento de dados em Knoxville, no Tennessee, que emitia seus relatórios mensais. Fiquei ali apenas alguns dias quando os vi esvaziando alguns cartões. Perguntei a uma das meninas o que eram.

Ela disse: "Essas pessoas são devedoras".

"O que vocês fazem com eles?"

"Nós os descartamos."

Levei certo tempo trabalhando até a meia-noite para alinhar esses cartões. Dividi as pessoas em grupos de quem estava seis meses atrasado, e assim por diante. Escrevi uma série de cartas de cobrança, a cada uma delas eu cobrava com mais ênfase.

Na época em que comecei, o banco estava sob ordens de cessação e desistência, o que significava que eles não podiam aumentar os empréstimos pendentes para as pessoas; já que havia severas restrições.

Os auditores voltaram cerca de um ano depois e disseram que era difícil acreditar que estavam no mesmo banco. Na verdade, Jim veio ao meu escritório e me pediu para comparecer à reunião do conselho; ele me chamou à sala de reuniões, embora eu não fosse diretor.

Antes de sair, recebi o melhor aumento que já ganhei em toda a vida, pois eu era orientado para resultados. Vendemos tudo depois de eu estar no banco por sete anos, e hoje ele faz parte do Bank of America. Jim não deixou que eu fosse mandado embora na venda.

Então, consegui uma boa posição como agente de crédito comercial. Muito mais dinheiro. Trabalhei para eles durante um ano e gostei muito. Quando as poucas economias e empréstimos estavam disponíveis, eles entrevistavam várias pessoas que os recusaram, porque estavam fechando várias empresas de poupança e empréstimos federais na década de 1980.

Sentei-me e, claro, pedi um contrato. Preenchi uma folha com as coisas que queria e todos assinaram, exceto um curador. Mais tarde, os outros curadores disseram que eu era o melhor banqueiro do estado da Virgínia. Ganhamos US$ 90 mil no primeiro ano, no segundo ano cerca de US$ 300 mil, e chegamos ao ponto em que estávamos ganhando US$ 1 milhão por ano.

Usei o mesmo princípio. Eu tinha três pessoas trabalhando para mim. Um dia almocei com um curador que era um grande acionista e disse: "Gostaria de dar um aumento a todos os funcionários".

"Não podemos pagar por isso agora, Don."

Respondi: "Não estou falando de mim. Eles estão lá há três anos sem receber aumento e nós é que vamos ganhar o dinheiro?".

Os funcionários conseguiram o aumento. Nunca pedi aumento. Sabia o que os outros caras estavam ganhando na cidade porque eu tinha suas casas financiadas. Sabia quais eram seus salários. Eu estava fazendo mais ou menos o que os outros três fizeram.

Usei as mesmas ideias que aprendi crescendo: trate bem seus funcionários. Eu não tinha rotatividade de pessoal, porque eu os tratava bem e cuidava deles. Se você cuidar dos seus funcionários, eles cuidarão de você. Para mim, essas são apenas lições simples. Você pode conquistar muito mais sendo bom para as pessoas. Elas conseguem sentir que você vai cuidar delas, porque você sempre cuidou.

O mercado dos livros

Quando comecei com a Fundação Napoleon Hill, nosso presidente era Charlie Johnson, que faleceu em 2019, aos 85 anos. Ele era sobrinho de Hill e se referia a ele como Tio Nap. Hill se casou com a irmã de sua mãe. Ele confessou: "Don, eu simplesmente não sabia se você conhecia alguma coisa sobre o mercado dos livros".

"Charlie, é tudo sobre as pessoas; livros são aquilo com que trabalhamos. Se trabalharmos com lavagem a seco, fazendo empréstimos, ou seja o que for, não posso fazer quase nada, mas posso encontrar pessoas que podem fazer coisas por mim, e elas ficam felizes porque vou tratá-las bem, com respeito, com período de folga, com benefícios e aumentos salariais.

"Aprendi há muito tempo que o melhor investimento que fazemos é aquele em nós mesmos. O segundo melhor é o investimento em nossos funcionários e em nossa família. É tão claro e simples: tratar bem as pessoas, e, em vez de ter pessoas trabalhando PARA você, ter pessoas trabalhando COM você." Pode não parecer grande coisa, mas com certeza é para a pessoa que está do outro lado.

Como comecei a me envolver com a Fundação Napoleon Hill? Claro, eu estava lendo as obras dele, pois sabia que ele era da região. Usei sua declaração de que às vezes nosso navio não chega; em uma palavra, se não houver uma oportunidade, você cria uma oportunidade.

Fui convidado para almoçar com W. Clement Stone. Ele era chefe de uma grande seguradora que hoje se chama Aon. Ele viveu até os cem anos. Naquela época, era o responsável pela fundação. Ele emprestou US$ 500 mil para colocá-la em funcionamento e começar a publicação dos livros. Não cobrou juros, e, quando os livros começaram a ser publicados, eles o pagaram de volta. Ele foi nosso presidente até seu último dia de vida.

Stone me convidou para ir a Chicago. Ele tinha alguns amigos na indústria aérea que tinham uma sala de reuniões no aeroporto O'Hare, então nos encontramos lá. Cheguei cedo. Eu o vi descendo, e ele estava com duas pessoas; acho que uma era enfermeira. Ele devia ter cerca de oitenta anos, tinha um bigodinho e usava abotoaduras de ouro. Conversamos por horas, e ele disse: "Rapaz, você sabe mais sobre esses livros do que eu. Deveria ser membro do conselho".

"O que preciso fazer, Sr. Stone?"

"Basta nos dizer que sim, e nós forneceremos os relatórios e o manteremos informado sobre o que está acontecendo." E foi assim que aconteceu. Nós criamos nossas próprias oportunidades.

Fiz parte do conselho por vários anos antes de a fundação começar a procurar um novo CEO para substituir o anterior, que não podia viajar. Eles me disseram: "Don, você sabe mais sobre a fundação do que qualquer pessoa".

"Sim, mas não quero morar em Chicago."

Eles disseram: "Você pode continuar morando onde está".

"Posso fazer isso?"

"Tudo o que precisamos fazer é transferir as contas."

Comprei um telefone, um aparelho de fax, e entrei no negócio. Nesse ponto, eles não estavam fazendo negócios no exterior, exceto com o Japão. Não havia internet. Consegui um livro que continha uma lista de editoras internacionais com seus respectivos nomes, endereços, números de telefone e fax (eles não tinham e-mail naquela época), bem como quantos livros haviam publicado no ano anterior. Também continha os gêneros que eles publicavam, como autoajuda, medicina ou educação. Escolhi aqueles que pareciam estar publicando o tipo de livro com o qual trabalhávamos. Então escrevi para eles descrevendo nossos livros, para ver se eles estavam interessados, e comecei a receber respostas. Às vezes por correio, às vezes por fax.

Nesse ponto, nem sei com quantos editores estamos conectados; só sei que são mais de quinhentos. Temos 25 editoras russas diferentes, algo em torno de trinta na China, ao redor de quarenta na Espanha. Também publicamos livros na Macedônia, no Irã, Afeganistão, Chipre, Grécia, Turquia, Eslovênia, Eslováquia, Polônia, entre muitos outros.

Um dia – era uma sexta-feira – meu assistente Zane me avisou: “Don, tem um homem no telefone que quer falar com você; ele diz que está no Irã”. O homem era do Irã, mas havia trabalhado e vivido nos Estados Unidos. Ele informou: “Eu gostaria de publicar um livro de Napoleon Hill”. Naquela época, alguns anos atrás, não tínhamos publicações no Irã.

“Vou te fazer uma proposta”, falei. “Darei a você os direitos do livro por cinco anos, com um adiantamento de US$ 2 mil” Eu provavelmente poderia ter conseguido muito mais dinheiro, mas não tinha certeza de que ele aceitaria. Ele me passou seu nome e endereço. Zane enviou para Bob, nosso advogado.

Bob preparou o contrato no mesmo dia, e assinei. Zane o digitalizou e o enviou para aquele cara no Irã com informações bancárias e instruções para transferência eletrônica. Recebemos os US$ 2 mil na segunda-feira.

É difícil explicar o que é uma sensação boa. Sinto o mesmo em relação à Arábia Saudita. Publicamos pelo menos 25 livros diferentes lá. Fiz um livro com Sharon Lechter chamado *Pense e enriqueça para mulheres*, e o primeiro país estrangeiro que comprou os direitos foi a Arábia Saudita.

Isso emocionou Sharon. Não estou dizendo que devamos levar o crédito por isso, mas, desde que começamos a fazer negócios por lá, as mulheres passaram a poder participar de eventos esportivos e dirigir automóveis. Isso pode não ser uma grande coisa para as pessoas que vivem nos Estados Unidos, mas, acredite, para aquelas mulheres na Arábia Saudita é uma conquista e tanto. Não ministramos nosso curso na Arábia Saudita, mas o ministramos em Dubai, no Egito e em alguns outros países vizinhos.

Eu gostaria de ter nosso curso ministrado no Irã. Seria ótimo se eles pudessem usar as ideias de Napoleon Hill para resolver as coisas juntos, porque, como um todo, todos nós, seres humanos, temos os mesmos desejos. Queremos que nossos filhos tenham uma vida melhor do que a nossa. Queremos segurança e proteção. Podemos ser de religiões diferentes, podemos ter cores de pele diferentes, mas somos todos humanos e somos todos realmente irmãos e irmãs.

Um dos melhores ensaios que Hill escreveu, há muitos anos, chamava-se "Intolerância". Ele queria o fim da intolerância. Disse que esperava o dia em que nos conheceríamos como irmãos e irmãs, não como judeus ou gentios ou outras categorias semelhantes.

A filosofia do sucesso

Como CEO da Fundação Napoleon Hill, muitas vezes me perguntam o que acho que torna a filosofia de Hill tão única. Por que ela ressoa tanto com as pessoas ao redor do mundo?

Hill estava incomodado com uma coisa simples: por que algumas pessoas são bem-sucedidas e outras não? Ele queria trabalhar com alguém com quem pensasse que poderia aprender mais, então conseguiu um emprego como secretário do famoso advogado da Virgínia Rufus Ayers, por US$ 50 por mês.

Ayers era chamado de general Rufus Ayers, embora não fosse um general do Exército Confederado; ele se alistou quando tinha apenas catorze anos. Mais tarde saiu, leu muito e realmente se tornou uma história de sucesso. Ele começou nos negócios de carvão e madeira e acabou como procurador-geral do estado da Virgínia.

Napoleon viu o quão bem-sucedido Ayers era, então decidiu que se tornaria advogado. Ele conversou com seu irmão Vivian, e eles se inscreveram na faculdade de direito da Universidade de

Georgetown. Foram admitidos, embora Napoleon nunca tenha concluído o curso.

Napoleon então trabalhou escrevendo artigos para jornais. Como jovem repórter, cobriu os voos dos irmãos Wright. Também trabalhou para Bob Taylor, que foi governador do Tennessee e também senador dos Estados Unidos. As pessoas dizem que ele foi um dos melhores oradores do Senado.

Em 1908, Hill foi escolhido para entrevistar Andrew Carnegie. Carnegie o desafiou a desenvolver uma filosofia de sucesso, e ele aceitou. Napoleon contou que precisou ir à biblioteca, porque não sabia o que significava a palavra filosofia.

Desde a infância, Hill sempre foi sonhador. Sua mãe morreu quando ele tinha apenas oito anos, mas seu pai se casou novamente. O ex-marido da madrasta de Napoleon foi diretor de uma escola secundária, e o pai dela era médico, então, naturalmente, ela sempre deu muito valor à educação. Ela gostava do jovem Napoleon, embora ele fosse um tanto travesso. Mais tarde, ele disse sobre ela – da mesma forma que Lincoln disse sobre sua madrasta: "Tudo o que eu sempre for ou aspirar ser devo a essa querida mulher". Ele contou que muitas vezes ela era a única ao seu lado, a única que o encorajava.

Hill tinha persistência. Ele seguiu o princípio de que "não se trata de quantas vezes você é derrubado, e sim de quantas vezes você se levanta".

Pode-se dizer que Hill cometeu erros, mas, quando as coisas dão errado, você pode escolher olhar para elas como fracassos ou como lições de aprendizagem; como obstáculos ou como degraus.

Tudo começa com um desejo ardente ou um objetivo pessoal. Hill falou sobre como desenvolvemos a fé. Ela começa com um desejo ardente e um objetivo que queremos com paixão, seguidos por planos e, logo após, ação. Ação é a fé pela qual você começa e persevera. É fé aplicada. Não é apenas acreditar que você pode atingir uma meta, é fazer algo a respeito para que ela seja atingida.

Andrew Carnegie teve apenas alguns anos de educação formal. Ele trabalhou como "o menino da bobina" em uma fábrica de tecidos, mas havia um coronel que fornecia livros para os meninos. Eles podiam ir aos sábados e pegar livros para ler, e Carnegie lia sobre a civilização ocidental. Aos trinta anos, tornou-se milionário investindo em vagões de trem com leitos.

Se você lê as histórias de Carnegie ou Napoleon Hill, pensa: "Se eles conseguiram todas essas coisas, talvez eu também consiga". Acho que é por isso que lemos essas histórias – para nos inspirar.

Isso se relaciona com a história de Roger Bannister. Antes de 1954, praticamente todo mundo dizia que era impossível correr um quilômetro em menos de quatro minutos. Então, um estudante de medicina britânico chamado Roger Bannister fez isso. Agora, até meninos do ensino médio correm um quilômetro em menos de quatro minutos.

Acho que isso prova que algo só é impossível até que alguém o faça; então as pessoas aceitam. As únicas limitações que temos são aquelas que estabelecemos para nós mesmos. Acho que isso é verdade ainda hoje. Existem muitas histórias de pessoas que alcançaram um objetivo simplesmente porque tinham um sistema de crenças que dizia que elas poderiam ser bem-sucedidas nele.

Andrew Carnegie selecionou Napoleon Hill para estudar e escrever sobre indivíduos de sucesso, mas ele havia oferecido a mesma ideia para muitas outras pessoas. A história é que, quando ele perguntou a Hill se ele aceitaria o trabalho, Carnegie segurou um cronômetro embaixo da mesa e lhe deu sessenta segundos. Quase metade desse tempo havia se passado quando Napoleon disse que assumiria o trabalho. Acho que isso fazia parte de sua autoconfiança.

Carnegie fizera a oferta para muitas pessoas diferentes, mas Napoleon Hill foi quem pegou o touro pelos chifres e seguiu em frente. Acho que Napoleon viu algo em Carnegie e, claro, viajou para vê-lo, pois demonstrou interesse pela ideia. Napoleon já conhecia Ayers, e certamente isso o afetou. Ayers era ainda um menino durante a Guerra Civil, então estudou direito, passou na ordem dos advogados e se tornou bem-sucedido. Na época em que Napoleon conheceu Carnegie, acho que ele entendeu que era possível fazer certas coisas para aumentar suas chances de sucesso.

Isso foi em 1908. Hill se casou pouco tempo depois. Ele publicou um anúncio em busca de uma noiva em um jornal de Washington e acabou se casando com uma garota de uma família rica da Virgínia Ocidental; o tio dela era importante no governo daquele estado.

Na verdade, duas meninas frequentavam a escola e moravam em uma pensão. Napoleon foi ver aquela que respondeu ao anúncio, mas a outra estava descendo a escada, e ele acabou ficando com ela. Acho que foi amor à primeira vista. Ele não se casou com aquela que respondeu ao anúncio; casou-se com a outra.

Uma coisa que se destaca sobre Hill é que, embora muitas pessoas tenham escrito sobre o sucesso, ele não apenas escreveu sobre, mas também mostrou como atingir o sucesso. Quer ele esteja falando sobre formar uma personalidade vencedora ou fé aplicada ou desenvolver um desejo ardente, ele explica repetidamente como adquirir essas coisas, passo a passo. Mesmo hoje, não acho que ninguém faça isso melhor do que ele.

Mesmo que você apenas leia os seis passos para enriquecer em *Quem pensa enriquece: Edição oficial e original de 1937*, siga-os e aplique-os, você já vai estar no caminho certo.

É aí que entra o *como*. Você pode ter todos os ingredientes para fazer um bolo sobre a mesa, mas precisa ter algumas instruções básicas para fazer o bolo ficar do jeito que você deseja. Da mesma forma, além de apenas ler várias histórias de sucesso, você precisa saber *como*, um passo de cada vez. Por exemplo, se desenvolver um desejo ardente, mas pular a parte do planejamento, seus resultados provavelmente não serão bons.

Hill nos diz repetidamente: o principal é fazer planos e começar. Ele costumava perguntar ao seu público: "Quantas vezes, em média, uma pessoa tenta algo antes de desistir?". Eles diriam uma, três, cinco ou sete vezes. Ele respondia: "Não, eu disse na média". Ele afirmava que a média era menor que um, porque a maioria das pessoas nunca nem começa. Algumas pessoas farão duas ou três tentativas. No caso de Edison, ele tentou dez mil vezes antes de desenvolver a luz incandescente. Isso é persistência. Se você leu os livros de Steve Jobs, o tema principal que aprenderá com eles é a persistência.

Embora ele tenha morrido em 1970, nunca tive a chance de conhecer Napoleon Hill. No entanto, em certo sentido, sinto que o conheci, e ele tem sido um mentor para mim postumamente.

Nos primeiros anos, todos atribuímos sucesso às coisas materiais. Acho que superei isso bem rápido, bem cedo. É como aquela música de Peggy Lee: *"Is That All There Is?"* [Isso é tudo o que há?].

Acho que aprendi isso muito antes de Hill, porque ele comprou um Rolls-Royce, uma propriedade, e assim por diante. Lembro-me de meus objetivos aos vinte anos. Eu os escrevi em um cartão 3x5: um milhão de dólares no banco, um Rolex dourado e uma Mercedes preta. Mostrei para minha esposa, e ela disse: "Sim. Você é muito bom em fazer o que diz. Acredito em você".

Coloquei o cartão na gaveta de cima da minha mesa de cabeceira.

Ela disse: "Não conte a ninguém".

"Eu não ia contar a ninguém."

"Se você contar, eles saberão que você está louco."

Costumávamos rir disso. Acho que é normal que, em tenra idade, você sonhe em adquirir essas coisas. Não demorei tanto quanto Hill para descobrir que eu poderia fazer a diferença na vida de outras pessoas. O dinheiro é uma ferramenta, isso é tudo. Pode comprar medicamentos para enviar ao hospital; pode pagar a educação universitária de um adolescente. O mesmo dinheiro pode ser usado para outros itens destrutivos. Podemos escolher, e nos leva um tempo para amadurecer nessa filosofia.

Napoleon Hill também chegou a essa conclusão em sua vida. Seu pensamento mudou. No livro *A chave para a prosperidade*, ele escreveu sobre as doze grandes riquezas da vida, e a segurança econômica era apenas o décimo segundo item. Ele havia mudado de ideia. O último livro publicado antes de sua morte foi *Como enriquecer com paz de espírito*. Ele sabia que era um mito completo que apenas o dinheiro traria felicidade. Afirmou: "Se você não consegue encontrar felicidade no trabalho, não será capaz de encontrar felicidade na vida".

Sim, acho que ele amadureceu. Um livro publicado em 1971, um ano depois de sua morte, foi *Você pode realizar seus próprios milagres*. Era um livro de esperança, um livro pequeno, mas a Random House o publicou, e não demorou muito para que vendesse um milhão de cópias.

Posso ver onde ele mudou. Acho que ele mudou muito mais tarde do que eu. Desde muito jovem, eu tentava ajudar outras pessoas, embora fosse em uma escala bem menor do que hoje. Aprendi que há um dom em fazer essas coisas. Você se sente bem consigo mesmo. Você não pode se sentir bem com as outras pessoas se não começar com você. Vi que exercemos um efeito positivo em muitas vidas. Como disse à minha mãe, não posso consertar todos, mas, com os que posso, consigo fazer a diferença.

No final, você e eu aprendemos as lições, e isso nos beneficia. Mas, se aprendermos o material e o ensinarmos a outros, os ajudaremos a aprender. E se ensinarmos outros a ensinar que não há limites reais para onde isso pode chegar. O efeito é absolutamente inacreditável, e ainda hoje gosto de ouvir falar de pessoas que leram um livro e foram influenciadas por ele. Ou que ainda estão sendo influenciadas até hoje. Você lê histórias de Mitt Romney, Billy Ray Cyrus, Steve Harvey, Daymond John, Jim Stovall, reverendo Billy Graham – a lista continua infinitamente. Disseram-me que a última vez que falou com ele, Jim Stovall perguntou a Graham o que ele estava lendo além da Bíblia. Ele disse: "Tenho lido *Sucesso ilimitado* e *Quem pensa enriquece*". O efeito foi positivo em muitas pessoas.

Declaração de missão

A declaração de missão da Fundação Napoleon Hill é tornar o mundo um lugar melhor para se viver, e como podemos fazer isso melhor do que publicando seus livros em tantos lugares? Licenciamos o material do curso no Japão, e eles têm sido amigos maravilhosos e parceiros incríveis; estive lá três vezes. Eles publicaram todos os nossos livros, acho. Também é importante vender os cursos e permitir que as pessoas ensinem o material, não apenas obtendo os livros, mas também realmente aprendendo a se tornarem instrutores, podendo assim ensiná-los e explicá-los a outras pessoas. Isso já está sendo feito há um bom tempo, especialmente no Japão, no

Brasil e em outros países. Eles não ensinam muito individualmente, mas usam cursos.

Há alguns anos, conheci Dave Liniger, fundador da RE/MAX. Acredito que ele seja o maior corretor de imóveis dos Estados Unidos, talvez do mundo; permiti que ele usasse os princípios do sucesso, e ele os colocou em uma página inteira em um livro que fez para seus funcionários. É uma grande parte do treinamento deles.

Depois tem também a história de Joe Dudley, um cara incrível: ele fundou a Dudley Products, a maior empresa de cosméticos de propriedade de uma minoria nos Estados Unidos. Eles o consideravam retardado. Ele disse que o dia mais triste de sua vida foi quando ele tinha dezessete anos e estava apaixonado. A garota por quem ele estava apaixonado disse: "Joe, eu te amo, mas nunca poderei me casar com você".

"Por que?", ele quis saber.

"Temo que nossos filhos nasçam retardados."

Joe tinha um problema na fala, que eles confundiam com um problema mental. Claro, agora o velho Joe vem me visitar em um Cadillac com direito a motorista e tudo mais. Eu me pergunto se aquela garota já se questionou algum dia o que aconteceu com ele. Ele é notável e tem quatro ou cinco filhos que estudaram no MIT, em Harvard e em outras faculdades de renome. Joe começou um negócio no ramo de cosméticos com Nelson Mandela, a Cosmetic People, que empregava milhares de pessoas na África. Quando ele colocou a empresa em funcionamento com sucesso, passou a responsabilidade para Mandela. Esse é o tipo de pessoa que ele é.

Joe diz que leu *Quem pensa enriquece* trezentas vezes. Quando ele estava completando 85 anos, deram uma festa para ele. Ele me convidou para a comemoração, mas eu tinha um compromisso que não poderia cancelar de forma alguma, então pedi a um amigo que fosse no meu lugar. Ele me ligou e disse: "Estou sentado à mesa com seis bilionários, os afro-americanos mais ricos dos Estados Unidos, que estão homenageando Joe, e vejo uma foto de Napoleon Hill pendurada aqui".

Princípios eternos

As pessoas às vezes me perguntam se esses princípios ainda se aplicam na era da tecnologia atual. A meu ver, certos princípios nunca mudam. Pense na gravidade. Digamos que você visite seu avô em um fim de semana e que ele tenha um celeiro de 25 metros de altura. Você está no sótão e decide pular. A gravidade vai fazer com que você bata no chão. Não importa se fez isso no verão passado, ou se fizer hoje, ou daqui a cinco anos. Será o mesmo. Você sempre vai obter os mesmos resultados.

Esses princípios são muito antigos. Tudo o que Napoleon Hill fez foi colocá-los juntos. Por exemplo, na época de Jesus, o povo judeu estava sendo transformado em burros de carga para o exército romano. Eles reclamaram, e Jesus disse que, quando alguém pede que você ande um quilômetro, você deve andar dois: isso significa fazer mais do que o esperado. Ainda é verdade quando falamos sobre sucesso hoje. É seguir o princípio de fazer seu trabalho e mais; faça o que é necessário e mais um pouco. Se você tem um amigo, faça mais do que normalmente é feito, e mais um pouco. "E mais um pouco" explica isso muito bem. Isso nunca mudou.

Billy Ray Cyrus aprendeu persistência quando começou no mundo da música. Ele foi expulso da escola. Fez amizade com um tal de Dr. Bailey, cujo carro estava quebrado no acostamento. O Dr. Bailey ficou impressionado porque não esperava que um jovem parasse e o ajudasse. Ele deu a Billy Ray seu cartão e disse-lhe que fosse ao seu escritório, pois queria conversar com ele. E assim o fez. Ele deu a ele o livro *Quem pensa enriquece: Edição oficial e original de 1937*.

Billy Ray disse que leu aquele livro e foi direto ao ponto sobre persistência. Ele conta que foi como se uma voz tivesse falado com ele e dito: "Billy Ray, compre uma guitarra e comece sua banda". Ray comprou e se lembrou daquele tema persistente de *Quem pensa enriquece*. Ele falou que, em algumas noites, eles recebiam US$ 50 ou US$ 100; tocavam em cervejarias, lugares duvidosos onde aconteciam brigas. Porém, ele persistiu. Depois de alguns anos, lançou aquela música "Achy Breaky Heart", que faz todas as garotas dançarem.

Claro, Billy Ray também conta a história de sua filha Miley. Ele a chamava de Smiley (em português, risonha). Ray afirmou que ela sabia cantar desde quando tinha três anos de idade. Quando ela foi para o *show business*, eles largaram o S, e ela se tornou Miley.

O artista Steve Harvey diz que leu *Quem pensa enriquece* 25 vezes. Ele já foi um sem-teto – simplesmente uma história extraordinária. Todo mundo tem uma história. É assim que aprendemos.

É absolutamente incrível, porque funciona. Não existem varinhas mágicas, mas existem certas coisas que pessoas de sucesso fazem que outras pessoas ou não sabem, ou não estão dispostas a praticar. Tudo começa dentro de nós. O que somos por fora é simplesmente um reflexo do que somos por dentro. Tanto a pobreza quanto a riqueza refletem o que somos por dentro.

CAPÍTULO 2

ALGUMAS IDEIAS PARA O SUCESSO

Tenho alguns princípios pessoais básicos para o sucesso:

1. Deseje melhorar.
2. A crença é um estado de espírito.
3. Acredite que você pode realizar seu propósito na vida.
4. *Feedback* é o que você recebe por agir.
5. Repetição significa fazer a ação repetidamente até que se torne um hábito.

A fórmula em meu livro *Mais que um milionário – tudo o que aprendi com Napoleon Hill* é colhida de minha própria experiência, bem como da de Hill. Basicamente, reescrevi o antigo *Quem pensa enriquece: Edição oficial e original de 1937.* Na primeira página está a pergunta: o que você quer? Esse é o ponto de partida. O que você quer? Por quê? O que você deseja? Você tem que começar de algum lugar ou outro. Embora as coisas possam mudar conforme você avança, pelo menos você está começando de algum lugar.

Pense nas coisas que deseja realizar. Pessoalmente, acho que você tem que anotá-las. Lembro-me de uma palestra na Câmara de Comércio em que falei sobre o estabelecimento de metas. No intervalo, uma professora veio até mim e disse: "Eu sempre crio metas", mas acrescentou: "Eu não as anoto".

"Isso é o que chamamos de sonhos", eu disse.

Quando você decide o que quer e anota, vê isso como um contrato consigo mesmo: "Isso é o que vou fazer". Você faz todos os planos para o que deseja, mas também precisa tomar uma atitude a respeito.

Objetivos no seu bolso

É fácil ter metas no bolso. Você tem um momento no sinal vermelho ou está esperando alguém para almoçar. Você retira o cartão e tem três ou quatro objetivos anotados. Olha para o cartão e pensa: "Puxa, estamos em julho, e ainda não fiz nada sobre isso. Deixei passar vários meses".

Você mantém seus objetivos escritos à sua frente. Não estou dizendo que as pessoas não conseguem fazer isso mentalmente, mas acho que é bom ter na forma física, para refrescar a memória.

Pegando emprestado um pouquinho de um bom amigo meu, Dr. Denis Waitley, falei a clientes e colegas: "Vá para casa, olhe para o calendário e procure por 'Algum dia'". Expliquei: "Algum dia é a maior mentira que já contamos em nossa vida. Algum dia vou morrer. Algum dia vou visitar meus parentes ou minha mãe. Algum dia vou escrever um livro, ou algum dia vou pagar meu cartão de crédito, ou algum dia vou começar a investir". É claro que mentimos para nós mesmos quando dizemos *algum dia*.

Temos que assumir um compromisso. E aprendi que nem sempre você atinge seus objetivos quando pensa que o fará. Pode demorar mais do que o planejado, mas isso não significa que você falhou.

Vou dar um exemplo. Quando eu estava no setor bancário, pensei que valia a pena criar um marco histórico para Napoleon Hill. Em todo o estado da Virgínia, você encontra placas dizendo "George Washington dormiu aqui", "George Washington cruzou o rio aqui", marcadores de batalhas da Guerra Civil e coisas semelhantes. Escrevi uma carta dizendo que gostaria de colocar um marco Napoleon Hill. Eles me escreveram de volta e informaram: "Para começar, a pessoa teria que estar morta por cinquenta anos". Hill estava morto havia apenas cerca de vinte anos.

Eu deveria desistir? Não aceitei *não* como resposta. Encontrei a Virginia Historical Society, que é a única responsável por manter e colocar esses marcadores. Tenho a lista dos diretores. Quando eu tinha um intervalo, ligava para um deles. Eles falavam: "Oh, vamos dar uma olhada nisso"; basicamente empurravam com a barriga. Havia cerca de uma dúzia no quadro, e eu provavelmente liguei para cinco ou seis deles. Finalmente consegui um cara do condado de Culpeper. Lembro que ele trabalhava como escrivão. Contei a ele o que estava tentando fazer, e ele disse: "Cara, acho isso maravilhoso. Li esse livro e fez toda a diferença do mundo para mim". Ele falou: "Você não precisa fazer mais nada. Eu assumo a partir daqui".

Eu o acompanhei. Claro, passei por todos os políticos, deputados, senadores, todos que pude contatar, para conseguir alguma vantagem. O conselho se reunia três ou quatro vezes por ano. Vários meses se passaram, e por fim recebi uma carta dizendo que eles provavelmente conseguiriam, mas que, naquele momento, não havia dinheiro sobrando no orçamento para aquele ano fiscal.

Voltei a entrar em contato com o diretor que eu conhecia: "Tudo bem. Eu vou pagar por isso". Agora, que tipo de desculpa ele poderia inventar? Acho que custou em torno de US$ 1.100. Não foi grande coisa. Dei a eles a informação para colocar no marco. Todo o processo levou mais tempo do que eu esperava – aconteceu mais de um ano depois do que eu afirmei que faria.

Para a abertura, convidei a família de Hill e a imprensa. Foi uma reunião tremenda; as pessoas fizeram fila às margens da rodovia. O conselho não conseguia acreditar. "Nunca tivemos uma aglomeração como esta", eles disseram.

"Bem, você nunca criou um marco para Napoleon Hill antes."

O marco existe até hoje.

A persistência faz toda a diferença entre o sucesso e a mediocridade. Todo mundo tem ideias, mas é o que você faz com elas que conta. As próprias ideias são inúteis até que sejam postas em prática. Você pode ter a melhor ideia do mundo, mas só você pode dizer quando vai fazer algo a respeito dela. Sim, pode ser mais difícil do que você pensava. Pode ser necessário mais planejamento, e talvez seja necessário alterar seus planos atuais. Você pode precisar de ajuda. Apelamos ao MasterMind: conseguimos outras pessoas para nos ajudar.

Se tivermos a ideia, encontraremos a maneira de realizá-la. Isso é o que importa. Isso é o que separa as pessoas que têm sucesso dos fracassos e das mediocridades. Os últimos simplesmente não planejam, ou seus planos são fracos, ou eles não persistem naquilo em que estão trabalhando.

Você é o responsável

Deixe-me examinar mais profundamente esta declaração: "O poder de ser o que você deseja ser e obter o que deseja reside em você. Você é o responsável".

Um desafio a essa filosofia que prevalece em nossa sociedade hoje em dia é que não somos responsáveis; nossa identidade limita nossas oportunidades. As restrições vêm de uma variedade de coisas, de como olhamos para gênero, classe e todos os tipos de coisas. Também somos afetados por problemas sistêmicos em nossa economia e em nossa sociedade.

Eu responderia dizendo que você tem que aceitar a responsabilidade por si mesmo – autossuficiência. Não me importo se alguém nasce ilegítimo ou está do lado errado dos trilhos. É verdade que temos um ambiente social no qual crescemos, e que existem algumas coisas que não podemos mudar, como nosso ambiente físico. Temos muitas restrições sobre nós, mas também muitas coisas que podemos fazer para moldar quem somos.

Por exemplo, podemos ficar longe de pessoas negativas. Como disse Mark Twain: "Não se afaste de pessoas negativas, fuja! Porque elas exercem influência sobre você". Cada pessoa que encontramos exerce influência sobre nós. O mesmo acontece com todos os livros que lemos. Claro, temos que escolher se essa influência será positiva ou negativa. Em última análise, cabe a nós. Pode ser necessária muita força de vontade para aceitar essa responsabilidade, mas você nunca terá tremendo sucesso a menos que assim o faça. Existe um ditado que diz: "Se for para ser, depende de mim".

É muito fácil dizer "Não consegui porque não fui para a escola certa", e outras desculpas semelhantes. Você pode ter uma lista de um quilômetro de comprimento, mas ela não o levará a lugar nenhum. Você encontrará um novo dia quando começar a dizer "Eu sou o responsável. Isso é o que vou fazer. Embora não saiba como, eu vou chegar lá".

Sempre sabemos alguma coisa. Não temos todas as respostas, mas temos que ter fé de que podemos começar e encontrar as paradas certas e as curvas certas. Quando você está viajando, não volta para casa se houver estradas em construção ou se uma rodovia estiver fechada. Simplesmente retorna e encontra outra rota até chegar lá.

Acho que tudo começa com a aceitação de responsabilidades. Você pode começar inventando desculpas, no entanto achará muito mais fácil inventar outra desculpa, e outra, e outra. É preciso coragem, mas os problemas que resolvemos nos fortalecem. Cada vez que resolvemos um problema – e vamos ter problemas –, isso nos torna mais resilientes e autossuficientes, porque já teremos passado por isso ou por algo semelhante antes. Mesmo que não soubéssemos as respostas, nós as recebemos, então, por que não podemos fazer de novo? Com qualquer coisa que possamos fazer bem, quanto mais fazemos, quanto mais repetimos, melhores ficamos.

Quando discuto sobre um livro, as pessoas comentam: "Li esse livro há muito tempo; por que deveria ler de novo?".

Digo a elas: "Uau, você é mais inteligente do que eu. Não entendi meu ABC da primeira. Também tive que repetir a tabuada várias vezes até aprender".

Se fizermos algo repetidamente, isso pode ficar embutido em nosso subconsciente até se tornar parte de nós. O mesmo acontece com atos negativos: "Isso não vai funcionar. Minha esposa me disse que não vai dar certo. Nem sei por que começamos". Se você desenvolver essa atitude, não terá grandes realizações na vida.

Muitas vezes, quanto maior a dificuldade, mais oportunidades existem, porque o mundo está cheio de oportunidades, quer você as veja ou não. Se houver um problema, alguém vai resolvê-lo de uma forma ou de outra e vai se beneficiar com isso.

Riqueza e o desejo de riqueza

Existe outro princípio: "Para obter riqueza, você deve ter desejo de riqueza".

Algumas pessoas perguntam como você pode desenvolver isso no nível de um desejo ardente, se você não o tiver.

Algumas pessoas têm um desejo ardente porque vêm de um ambiente desfavorecido, mas isso não é uma regra. Veja Bill Gates: ele foi criado em uma família de classe média-alta, mas desenvolveu seus princípios a partir do desejo de realizar algo que valesse a pena. Não se trata apenas de dinheiro, embora, quanto maior for o projeto, maior será a probabilidade de você lucrar com isso.

Claro, o dinheiro nunca deve ser um objetivo em si mesmo. O que importa é o uso do dinheiro e o que você pode realizar com ele no mundo. Eu poderia mostrar a vocês a primeira edição de *Quem pensa enriquece: Edição oficial e original de 1937*. No topo da capa, afirmava: "Para homens e mulheres que sofrem na pobreza". Hill o escreveu para milhões de homens e mulheres que viviam na pobreza e com medo da pobreza.

Algumas pessoas acham a pobreza fácil de aceitar. Li uma história anos atrás sobre um homem e seu vizinho, no interior. Eles estavam sentados na varanda, conversando. O homem morava em uma casa simples e sem pintura. Ele tinha um cachorro grande que estava deitado e gemendo. O vizinho perguntou: "O que há de errado com seu cachorro?".

"Aquela prancha em que ele está deitado tem um prego que está saltado para fora."

"Por que ele simplesmente não se levanta e sai dali?"

"Porque não o está machucando tanto assim."

Acho que essa história explica muito sobre realizações. Não há nada de errado em ficar satisfeito com a mediocridade, mas, se você tem um desejo ardente por algo, vai ter que tomar algumas medidas para alcançá-lo.

As pessoas têm motivos diferentes para querer ganhar dinheiro. Alguém pode querer um estilo de vida melhor e mais segurança, ou pode querer ajudar certas causas ou instituições – medicina, igreja, educação, qualquer coisa para tornar o mundo um lugar melhor. Para cada um de nós, esse desejo deve ser desenvolvido internamente. Ninguém pode simplesmente se aproximar de você e falar: "Quero que você tenha um desejo ardente de conseguir tal coisa".

Algumas pessoas terão desejos mais ardentes e mais persistência do que outras, mas o grau em que isso acontecerá terá relação direta com o que realizam na vida.

O mesmo princípio pode ser aplicado a outras coisas na vida, porque, se você está escrevendo seu próximo livro ou ajudando a melhorar uma comunidade, ou organizando um time de beisebol da liga infantil, terá que seguir os mesmos passos. Precisa ter um desejo ardente, um plano e persistência para seguir as etapas a fim de realizar o que deseja.

Acredite em você mesmo

Outra parte da fórmula é acreditar em si mesmo. As únicas limitações são aquelas que você impõe a si mesmo.

Você pode perguntar até que ponto isso é realista e como você distingue uma crença saudável em si mesmo da autoilusão. Como separa o que é realista do que é irreal quando se trata de acreditar em si mesmo?

Para começar, eu diria que você deve ter cuidado para não estar muito disposto a aceitar o que não pode ser feito. Limitações físicas existem: um cara cego provavelmente não pode se tornar um bom atirador de elite. Mesmo assim, acho que podemos estar prontos demais para aceitar crenças como "Estou muito velho para começar agora", "Não tenho dinheiro para começar" ou "Não estamos vivendo na comunidade certa". Essas são as pessoas que Hill falou que nunca começam. Elas podem ter uma ideia, mas, se não fizerem alguns planos e realmente começarem, é improvável que algo se concretize.

Mesmo que você tenha algumas limitações físicas que possam desqualificá-lo para determinada carreira, sua habilidade geralmente está muito além do que você pensa. Não se precipite em se descartar.

Meu bom amigo Jim Stovall é cego desde a faculdade. Você pode pensar que uma pessoa cega não consegue escrever um livro, mas esse cara já escreveu mais de quarenta. Ele leu dez vezes mais livros em audiolivros do que eu. Um de seus livros vendeu cinco milhões de cópias e foi transformado em um filme que arrecadou mais de US$ 100 milhões. Ele teve que fazer isso de uma maneira diferente, mas não aceitou a derrota.

A certa altura, Jim estava em seu quarto e pensou que ficaria por lá pelo resto da vida. Um dia teve a ideia de ir verificar a caixa de correio. Ele não sabia ler, mas se perguntou se conseguiria ir até a caixa de correio. Ele conseguiu ir e voltar. E teve a ideia: "Cada estrada leva a qualquer lugar do mundo aonde você queira ir".

Em cerca de seis meses, ele estava palestrando no Madison Square Garden para milhares de pessoas. Jim é um dos palestrantes mais bem pagos atualmente.

Podemos facilmente nos menosprezar e dar desculpas como "Não conheço as pessoas certas" ou "Não tenho capital para começar". Napoleon Hill contou que só depois de começar ele aprendeu que você precisa de US$ 100 mil para criar uma revista de sucesso. Ele não sabia disso de antemão. Foi um tremendo sucesso, e começou sem dinheiro.

Precisamos ter cuidado ao escolher o caminho mais fácil. É sobre se comprometer com algo que você realmente deseja, porque você acha que é a única maneira de se sentir realizado. Nenhum de nós atinge nosso potencial, mas você pode usar mais do seu potencial fazendo algo do que sem fazer nada.

Otimismo *versus* ilusão

Claro, você tem que separar o otimismo da ilusão. Acho que otimismo é simplesmente acreditar que você pode realizar algo. A ilusão seria quando você está no topo de um prédio de dez andares, acreditando que poderia pular e não se machucar. Por outro lado, um otimista pode dizer que, se você quiser ir do décimo andar até o térreo, pode simplesmente pegar o elevador ou fazer outra coisa que seja viável.

Ilusão é enganar a si mesmo e não lidar com a realidade. Embora o ditado seja "Nossas únicas limitações são aquelas que definimos em nossa própria mente", temos que levar algumas limitações em consideração. Se você acha que pode pular do Empire State Building e não se machucar, está delirando. Há uma diferença entre ser otimista realista e irrealista, achando que pode pular de uma ponte sem se machucar.

O palestrante motivacional Jim Rohn afirmou: "Não é o que acontece com você. É o que você faz sobre o que acontece". É muito fácil desenvolver uma crença do tipo "Sou a única pessoa que já foi demitida. Sou a única pessoa que já teve câncer".

Acho que melhoramos à medida que avançamos; é o que chamamos de experiência. As pessoas às vezes perguntam: por que ler um livro mais de uma vez? Claro, você aprende repetindo, mas também é uma pessoa diferente na segunda vez. Se você leu um bom livro pela primeira vez há vinte anos e o lê hoje novamente, nenhuma palavra do livro terá mudado, o material é o mesmo, porém nossa interpretação dele será diferente, por causa de outros livros que lemos e conversas que tivemos com outras pessoas. Nossa perspectiva terá mudado. É como o homem que disse que, quando tinha quinze anos, sabia sem dúvida que seu pai era a pessoa mais estúpida do mundo. Quando chegou aos trinta, falou: "Foi incrível o quanto o velho havia aprendido".

É fácil desconsiderar esse fato, mas nós mudamos, sim. Felizmente mudamos, porque a vida é um processo de aprendizagem de longo prazo. Se acharmos que sabemos de tudo, estamos enganados, porque, quanto mais você aprende, mais percebe o que não sabe. Há muito por aí com o qual podemos continuar aprendendo, se assim desejarmos.

Como eu disse, aprendemos por dois meios: com livros e com outras pessoas. Felizmente, estaremos sempre perto de pessoas que são muito mais inteligentes do que nós. A melhor maneira de aprender é se unindo a pessoas mais inteligentes do que nós.

Diz-se que os pensamentos dominantes fazem o seu mundo interior. Dada a importância desse princípio, você precisa se certificar de que pensamentos saudáveis e orientados para um objetivo sejam os seus pensamentos dominantes. Pode ser complicado. Se alguém disser "Não pense em um elefante rosa", um elefante rosa será tudo em que você conseguirá pensar. Às vezes, quando estamos passando por um momento negativo ou há muita negatividade ao nosso redor, pode ser difícil mudar o fluxo de pensamentos.

O único item que removerá os pensamentos negativos é a ação: fazer outra coisa. Lembro que costumava haver um pequeno anúncio na TV com uma senhora das montanhas de Erwin, no Tennessee, que já estava no ar havia anos. Ela dizia: "Quando fico muito preocupada com as coisas, venho aqui e cuido do meu jardim, porque não posso capinar e me preocupar ao mesmo tempo". Ela substituiu suas palavras por ação.

Muitas pessoas pensam que murais são bobos, mas eles funcionam. Um mural é uma coleção de imagens ou palavras que mostram coisas que você deseja se tornar. Você o coloca em um lugar onde o verá com frequência. É um lembrete constante do que você deseja. Um cara colocou uma foto de um outro rapaz com cuecas *boxer* e afixou no banheiro, de onde podia ver todos os dias, para motivá-lo a perder peso.

Em 1975, ano em que dei início ao banco, não conseguia encontrar uma casa que pudesse pagar. Comprei uma geminada, mas minha esposa realmente não ficou satisfeita, pois já tínhamos uma casa no Tennessee que havíamos construído e que aluguei para um médico. Queríamos algo similar ao que tínhamos.

Um dia, minha esposa estava lendo uma edição de uma revista de decoração e jardinagem. Havia um anúncio que mostrava a foto de uma casa de dois andares feita de cedro. Eles apenas o usaram no anúncio porque era uma imagem bonita. Minha esposa disse: "Essa casa é realmente incrível".

Perguntei: "Você gostou?".

"Sim, porque tem duas varandas. Você pode ir do quarto principal para uma varanda. E há outra varanda quando você entra." A casa também tinha uma sala longa e duas lareiras, uma na sala e outra no quarto principal. Gostamos muito, mas era só uma foto.

Escrevi para a empresa que colocou o anúncio e perguntei sobre a casa. Eles me responderam e informaram que era em Brandenmill, na Virgínia, que fica fora de Richmond.

Que assim seja. Tirei a foto e coloquei dentro da porta de um armário para que, toda vez que pegasse uma toalha para tomar banho, eu visse aquela foto. Algumas semanas depois, o CEO do banco me convidou para participar de uma conferência do Federal Reserve em Richmond. Pedi para minha esposa ir comigo: "Vamos parar e dar uma olhada naquela casa no caminho de volta".

E assim o fizemos. Era em um conjunto habitacional. O homem que o construiu não estava lá, mas eles tinham vendedores à disposição. Consegui seu nome e endereço e, quando voltamos, encomendei um projeto. Nós examinamos melhor, e então consegui alguém para construir aquela casa.

Construí essa casa em 1976 e ainda moro nela. Tudo começou a partir de uma foto, um mural. Mas eu podia ver aquela casa, e minha esposa também.

É incrível como as coisas parecem se encaixar quando nos concentramos, porque, como sabemos, tudo começa no processo de pensamento. Nada nunca foi feito sem ter sido pensado antes. As imagens nos lembram o que queremos obter ou realizar na vida e se tornam parte de nosso subconsciente.

Um propósito forte

O próximo princípio é ter um propósito de vida forte e bem definido. Ultimamente – talvez porque passemos muito tempo com nossos eus digitais, com os quais não estamos tão conectados fisicamente como costumávamos estar – as pessoas parecem estar perdendo aquele senso de propósito, o senso de "Estou aqui por um razão. Estou fazendo algo produtivo que quero fazer e que serve às pessoas". No entanto, um senso de propósito é extremamente importante, porque sem ele nos tornamos pessoas sem objetivo, como ervas daninhas.

Hoje em dia, a falta de autoconfiança é imensa entre os jovens. Eles não acham que têm um grande propósito. Acreditam que podem se meter em problemas porque não têm algo pela frente pelo qual realmente desenvolveram um desejo. É por isso que eles têm um forte desejo de se encaixar.

Claro, ninguém pode atribuir a eles um propósito; eles têm que fazer isso por conta própria. Mas deve ser levado ao conhecimento desses jovens de que eles realmente precisam tomar decisões.

Às vezes, você pergunta a um homem o que seu filho está fazendo, e ele responde: "Ele está tentando se encontrar".

Isso é aceitável quando se está em uma idade universitária, mas, em algum momento ou outro, você precisa decidir sobre algo que o faz querer acordar de manhã. Se quer ter sucesso, você precisa de um propósito em que pense quando vai para a cama, quando acorda e quando almoça. Se fizer isso, as coisas vão começar a acontecer – talvez não tão rápido ou tão bem quanto você deseja, mas você ficará surpreso com os resultados.

Norman Vincent Peale certa vez deu uma palestra cujo tema era que todo problema tem uma solução. Ele começou contando sobre uma senhora que subiu em uma torre na Inglaterra e ameaçou pular. Uma multidão se reuniu, e eles conseguiram um policial para falar com ela. Não funcionou; ela ainda disse que ia pular. A multidão aumentou. Eles finalmente mandaram chamar um pastor. Ele falou com a moça, mas também não funcionou. Ela saltou e tirou a própria vida. O Dr. Peale disse: "O pastor não sabia qual problema aquela mulher tinha. Não importa qual fosse o problema dela, havia uma solução para ele".

Algumas pessoas obtêm sucesso apenas por necessidade.

Alguém pode não ter tanto desejo por dinheiro, mas terá uma vida plena se encontrar um propósito e cumpri-lo. É o mesmo com o trabalho. Se você não conseguir encontrar algo em que possa passar suas horas com alegria, terá uma existência miserável. Você odiará ir trabalhar às segundas-feiras.

No final, a responsabilidade é toda sua. Não posso lhe dizer o que lhe falta. Algumas respostas você mesmo precisa encontrar. Mas, se não tentarmos obter essas respostas, levaremos uma vida miserável, porque outra pessoa não consegue encontrar nosso propósito para nós.

A neta do meu irmão, Alexis, queria cursar faculdade de medicina veterinária. Ela não apenas ama os animais, mas também se preparou na escola. É uma aluna nota dez e está se formando na Universidade Estadual do Mississippi. Entrar em uma faculdade de medicina veterinária não é fácil, mas ela tem o desejo de realizar algo e está com a mente focada nisso. Agora, Alexis foi aceita no curso de veterinária da Lincoln Memorial University.

Você não pode simplesmente acordar uma manhã e dizer "Quero ser veterinário" ou "Quero ser banqueiro". Você precisa fazer alguns deveres de casa, e, novamente, tudo se resume a desenvolver um propósito na vida e decidir o que deseja. Muitas pessoas passam toda a vida sem nenhum propósito. Isso nos afasta de nossa responsabilidade e autossuficiência, pois, quando temos permissão para fazer algo por conta própria, temos liberdade. Quando deixamos outra pessoa fazer isso por nós, é tirania.

Se você mora em Chicago e diz "Odeio esses invernos frios", pare de falar sobre isso, levante-se e mova-se. Você pode resolver o problema se quiser, mas algumas pessoas preferem reclamar a mudar suas circunstâncias, porque dar desculpas se tornou hábito. Você pode pensar que reclamar o isenta de responsabilidade, mas não o leva a lugar nenhum. O resultado não será positivo.

Defina seus objetivos

Outro princípio da fórmula para o sucesso é "Determine seus objetivos e planos e comece. Uma vez iniciada uma tarefa, metade está feito". Algumas pessoas se perguntam no que devem se concentrar em seus objetivos e planos.

Acho que remonta à infância e ao que gostamos de fazer. Para muitas pessoas, o sonho morre nelas se não o cultivarem, cuidarem ou fizerem algo a respeito. Quando crianças, podemos sonhar em nos tornar atletas profissionais, banqueiros ou veterinários. Cultivamos esse sonho fazendo coisas que nos aproximam dele. Por exemplo, se você vai trabalhar em um emprego que exige muito estudo, não pode ignorar esse fato. Tem que começar cedo e perceber: "Ei, tenho que estudar química; tenho que estudar biologia". É apenas uma série de passos. Cada um nos aproxima um pouco mais do nosso objetivo.

O que o motivou quando você era criança? Você pode ler sobre os astronautas. Desde muito cedo, eles admiravam aviões e voar.

Eles não acordaram um dia e disseram "Serei astronauta". Havia muitos requisitos que eles tinham de cumprir.

Acho que é importante voltar à sua infância – talvez não ao seu sonho de infância propriamente dito, mas a algo pelo qual você possa ter uma paixão. Algo que o levante, o atraia e se torne ao mesmo tempo uma paixão e um sistema de crenças. Então você poderá realizar seu objetivo.

Iniciamos fazendo planos e dando passos – mas iniciamos. Nunca é muito cedo ou muito tarde para começar. Você começa e dá um passo de cada vez com convicção, porque sem isso provavelmente não vai nem começar, nem dar os passos necessários. Você desenvolverá a crença de que não está funcionando e abandonará seus sonhos. De uma forma ou de outra, você tem que focar em algo – "Isso é o que vou fazer" – e dar um passo de cada vez, com persistência e crença de que você pode realizá-lo.

Como eu disse, anoto metas em um cartão. Na verdade, colocá-las no papel é importante para o processo, em vez de apenas manter essa ideia em sua cabeça. Vejo isso como um contrato comigo mesmo e um lembrete constante, dizendo: "Isso é o que vou fazer". Você pode usar um mural ou um cartão se quiser, mas coloque essa coisa onde você a verá repetidamente. Posso abrir minha gaveta no trabalho e ver as metas que anotei.

Tente fazer algo a respeito de sua meta regularmente e aumente um degrau de cada vez. Enquanto crescíamos, nos disseram para focar em uma coisa e fazer isso bem, mas você tem que ser realista. Se escrevi um livro e meu agente está por aí fazendo propostas para editoras, pode levar seis meses para conseguir um bom contrato. Não devo fazer mais nada até receber uma resposta? Nesse meio-tempo, tenho que desenvolver outros projetos e outras metas, subindo um passo de cada vez até que eles sejam concluídos.

Paixão: o ingrediente que falta

O próximo princípio da fórmula é o seguinte: trabalho árduo e integridade são necessários, mas não suficientes. A paixão é o ingrediente que falta.

Você pode dizer que a paixão – ou pelo menos as demonstrações apaixonadas de emoção – está em todos os lugares em nossa sociedade, especialmente nas redes sociais, enquanto os trabalhadores que têm integridade e uma consolidada ética de trabalho estão em falta. No entanto, mesmo essas coisas – honestidade e trabalho árduo – não são suficientes para o sucesso.

É preciso mais do que apenas ser honesto. Na vida, você tem que se empenhar. Então, terá as recompensas por fazer coisas que ninguém mais está fazendo. As pessoas que fazem algo um pouco melhor e com um pouco mais de responsabilidade serão recompensadas na proporção do que investiram.

Honestidade é integridade. Muitas pessoas estão por aí tentando mostrar sucesso com demonstrações de riqueza. Para mim, sucesso é a forma como as outras pessoas o veem. Você não precisa fazer nada, exceto levar a vida sendo honesto e ajudando tantos quanto puder. O reconhecimento é obtido e não comprado.

Você pode comprar todos os tipos de reconhecimento hoje. Pode fazer uma doação para alguma instituição, e eles vão lhe dar um doutorado honorário. Ou pode acessar a internet e solicitar um. Alguém, nunca descobri quem, me enviou um certificado que me tornava ministro de alguma igreja. Provavelmente eles pagaram alguns dólares por isso. É engraçado, porque reputação é algo que conquistamos, não compramos.

Mais uma vez, acho que é importante fazer algo que você realmente ame. Por exemplo, algumas pessoas adoram pescar. Algumas querem fazê-lo apenas como *hobby*; outras ganham a vida com isso. Fazer iscas de pesca dá muito dinheiro.

Tenho um primo que começou a fazer facas – facas grandes –, e ele está nesse ramo há provavelmente mais de quarenta anos. É um processo trabalhoso, mas estamos falando de US$ 2.500 ou mais por uma faca.

Claro que começou como um *hobby*, mas ele adorava fazer isso. Ele trabalhou, mas também desenvolveu o *hobby* que acabou ultrapassando seu emprego. Começou assim, mas meu primo adora o que está fazendo. Ele vende suas facas em feiras. Na verdade, fui a algumas que aconteceram aqui perto. Não consigo imaginar alguém pagando US$ 2.500 ou mais por uma faca que nunca será usada, mas as pessoas têm desejos diferentes.

De qualquer forma, meu primo escolheu um *hobby* que amava e o tornou profissão. Acho que é aí que entra a paixão. Você ficará bom em algo caso se empenhe, corrija seus erros, pratique e obtenha *feedback*. No mínimo, você será muito melhor do que a média.

Obtendo e dando ajuda

A última parte principal desta fórmula é: faça com que os outros o ajudem a progredir e doe aos outros. É quase uma questão de não fazer nada além de atrair pessoas que gostam de trabalhar com você.

Um exemplo é meu livro *Three Feet from Gold* [A três passos do ouro], que concluí com a ajuda de Sharon Lechter. A certa altura, meu falecido amigo Charlie "Tremendous" Jones, que dirigia a Executive Books, me apresentou a um jovem chamado Greg Reid. Ele disse: "O Greg passou por alguns perrengues. Você acha que poderia conseguir um emprego de escritor para ele?".

Na época, tive a visão de *Three Feet from Gold*. Disse a Greg para ver o que ele poderia fazer com isso. Ele chegou a oitenta páginas e conseguiu algumas reuniões para nós em Nova York. Um agente literário nos levou ao Waldorf Astoria, e conhecemos várias pessoas, mas o projeto nunca foi a lugar nenhum.

Sharon Lechter havia me contatado antes para escrever algo. Ela ficou profundamente comovida com o *Quem pensa enriquece* quando estava na faculdade. Ela é contadora pública, e também é coautora de catorze livros com Robert Kiyosaki que venderam 37 milhões de cópias, embora eles tenham encerrado a parceria. Contei a ela sobre meu livro. Fomos a Nova York e apresentamos o projeto a Leonard Riggio, fundador da Barnes and Nobles, e seu pessoal de relações públicas. Eles fizeram disso um projeto *best-seller*, e ele atingiu a lista de *best-sellers* logo de cara.

Foi um projeto incrível, e estamos publicando a edição do décimo aniversário. Também vendeu muito bem em países estrangeiros, porque é uma história de persistência. Em qualquer caso, é incrível como fiz pouco. Tive uma ideia, mas certamente não a tornei um sucesso.

Acho que é a mesma coisa no trabalho. Se não está preocupado com quem está recebendo crédito, você se sairá bem. Sempre assumi essa posição: nunca pedi aumento na vida e nunca pedi emprego, embora as pessoas estejam sempre me recrutando.

Se você está preocupado com seu ego ou em colocar seu nome em algo, não pode esperar resultados máximos. Dê crédito às pessoas e será incrível o que você pode conquistar e como elas vão gostar de trabalhar com você. Queremos promovê-los; queremos ajudá-los. É incrível o que as pessoas farão por você quando você passar a valorizá-las.

Você precisa obter ajuda de outras pessoas. Se tentar fazer tudo sozinho, não conseguirá realizar muito. Precisa contatar sempre as pessoas que podem ajudá-lo. Dê-lhes uma ideia e veja o que podem fazer com ela.

Napoleon Hill definiu sucesso como conseguir tudo o que se deseja na vida sem prejudicar outras pessoas. Cada um deve definir seu próprio sucesso. Uma pequena placa na minha mesa diz "O sucesso é uma jornada, não um destino", o que significa simplesmente que não é apenas afirmar "Preciso de um Rolex dourado, uma Mercedes preta e um milhão de dólares para me tornar um sucesso, e é isso". É o tipo de pessoa que nos tornamos, porque mudamos. Vemos novas maneiras de ajudar as pessoas, fazer a diferença e dar assistência aos outros. O caminho para o sucesso é mais do que apenas dizer "Veja meu saldo bancário ou minha carteira de ações". É o tipo de pessoa que nos tornamos durante o processo.

No início, Napoleon Hill estava mais preocupado com as coisas materiais. Acho que levou mais tempo do que a maioria de nós para perceber que o sucesso consiste em fazer a diferença, em vez de apenas pensar em nós mesmos. Sua motivação mudou, como você pode ver em *A chave para a prosperidade*, que trata de alcançar a paz de espírito. Amadurecemos, crescemos melhores, crescemos maiores. Mais uma vez, isso é deixado para cada um de nós individualmente.

Muitas pessoas, principalmente os mais jovens, definem o sucesso em termos de dinheiro. Ok. Não mencionaremos nomes, mas conhecemos um boxeador famoso que ganhou várias centenas de milhões de dólares. Ele acabou na prisão e faliu. Ele ganhou todo esse dinheiro, mas você o consideraria um sucesso? O traficante local, que dirige uma Lamborghini e tem correntes de ouro e garotas penduradas no pescoço, ganhou dinheiro vendendo drogas. Você o consideraria um sucesso?

O dinheiro pode indicar que você concluiu algo com sucesso, mas não o torna um sucesso. É o bem que você faz com o que você ganha e o fato de que você fez isso honestamente, sem machucar outras pessoas. Como disse Hill, é conseguir o que você deseja da vida sem prejudicar outras pessoas.

Direi de maneira simples: você pode ter o seu dinheiro, ou o seu dinheiro pode ter você. Quando o seu dinheiro tem você, você está em apuros, porque está tentando impressionar as pessoas; está tentando comprar carros luxuosos ou obter outros sinais de riqueza.

Tenho amigos que valem milhões, mas eles são educados, são generosos. Lembro-me de um deles em particular. Ele está no negócio de carvão. Em um restaurante, eu sempre o via comendo em um local isolado; você nunca sabia que ele estava lá. Se ele saía antes de mim, sempre vinha até a mesa para me cumprimentar, mas não era com intenção alguma. Não tentava chamar atenção para si mesmo. Outro de meus mentores é Jim Brown. No início de seu sucesso, ele comprou Rolls-Royces, mas, da última vez que estive com ele, ele estava dirigindo um SUV da Ford.

Acho que é natural, para muitas pessoas, exibir riqueza quando são jovens. Alguns aprendem a lição mais rapidamente do que outros, e talvez alguns nunca aprendam. Elas gastam muito dinheiro tentando comprar uma reputação ou se exibir: "Fique aqui e olhe para mim".

Costumamos falar em deixar um legado. Na minha opinião, essa é uma expressão imprópria. Acredito que "viver um legado" é muito mais apropriado. Veja algumas das coisas que você realizou enquanto ainda está aqui; aproveite as histórias de sucesso de crianças que crescem e se tornam médicos, engenheiros, advogados. Acho que é muito mais gratificante ver as coisas que você fez para beneficiar outras pessoas enquanto ainda está aqui. Por que você tem que esperar para morrer antes de deixar algo?

Não apenas deixe um legado; viva um legado.

outras pessoas enquanto ainda está aqui. Por que você tem que esperar para morrer antes de deixar algo?

Não apenas deixe um legado; viva um legado.

CAPÍTULO 3

ADVERSIDADES E FRACASSO

Você ganha força, coragem e confiança a cada experiência em que realmente para e encara o medo. Você pode dizer a si mesmo: "Eu passei por esse horror. Posso aguentar o próximo desafio que vier". Você deve fazer o que pensa que não consegue fazer.

— Eleanor Roosevelt

Usei essa citação em alguns de meus escritos sobre adversidade e fracasso. Por que ela é tão poderosa?

Podemos aceitar um revés como derrota ou como lição. Tenho todos os tipos de exemplos. O primeiro que me vem à cabeça tem a ver com arte. No começo só estudei, mas, quando entrei no ramo bancário, comecei a comprar um pouco de arte.

Conheci um homem, a quem chamarei de Dr. Nikita. Ele veio como professor de intercâmbio da Universidade de Moscou, e o conheci por meio do sistema universitário. Seu padrasto, ele me disse, era um pintor famoso chamado Eugene Kumanov. Ele desenhou o cenário do filme *Guerra e Paz*. Eu o conhecia, mas não conhecia suas pinturas. Isso me levou a comprar muita arte russa.

Também comecei a vender arte em leilão, e sempre me saí bem. A certa altura, enviei oito ou nove pinturas para uma casa de leilões chamada Sloans & Kenyon. O leilão foi em Bethesda, em Maryland, e os participantes eram todos russos ricos que moravam nos subúrbios de Washington, D.C. Foi um belo evento, com queijos e vinhos. Então eles começaram a vender minhas pinturas, mas não trouxeram o que eu esperava. Achei que as artes seriam vendidas por três, quatro ou cinco vezes o valor que paguei por elas, mas não aconteceu. Dois ou três deles perderam dinheiro.

Eu não precisava do dinheiro, no entanto achei meio engraçado. Mais tarde, percebi que tudo que eu precisava fazer era colocar um mínimo no preço: se não vendesse, eu ficava com a pintura – mas não coloquei isso no contrato.

Não parei de vender arte. Desde então, quando estou para leiloar uma pintura, digo: "Isso deve render US$ 5 mil ou não vendo", e coloco isso no contrato. Aprendi com aquela experiência, embora pudesse considerá-la um fracasso. Podemos tomar os fracassos como lições ou podemos deixá-los nos derrotar. Somos apenas fracassados quando paramos de tentar, quando não aprendemos algo e continuamos tentando. A quantia de dinheiro que me custou valeu bem a lição que aprendi.

Conquista traz força

Acho que é disso que Eleanor Roosevelt estava falando. Cada vez que conquistamos algo, isso nos dá força. Isso nos dá resiliência para o próximo evento. Se algo mais surgir, podemos dizer: "É como o que aconteceu antes". Há uma lição aprendida, e podemos prosseguir para outra coisa.

As coisas não vão dar certo para nós todos os dias. Podemos encará-las como parte do processo de aprendizagem, porque você nunca atravessará o rio a nado se não entrar na água e se molhar. Tem que começar e fazer o melhor que puder com o que tem pela frente, mas com a crença de que os resultados serão bons. Pode não ser sempre, mas pelo menos você acredita e se protege o melhor que der. Você tem que estar fazendo algo; tem que ser ativo.

Não há ninguém que não tenha sido afetado por adversidades. Meu amigo Jim Stovall é cego, mas não se considera deficiente. Como é possível? Ele escreveu um livro que foi transformado em filme e arrecadou US$ 100 milhões. Ele escreveu 47 livros e foi nomeado uma das dez pessoas mais notáveis do mundo no mesmo ano que Madre Teresa.

Jim provavelmente nunca teria se desenvolvido como se desenvolveu se ainda tivesse a visão, pois ele teve que parar de jogar futebol profissional. Aos vinte anos, fez um exame e descobriu que tinha degeneração macular. Estava ficando cego. Ele diz que não há muitos jogadores cegos na NFL – alguns árbitros cegos, talvez, mas nenhum jogador. É uma história tremenda, porque ele tinha todo o direito do mundo de simplesmente ficar em casa lamentando essa adversidade.

O livro *Em busca de sentido*, de Victor Frankl, descreve como o autor lidou com o horror de Auschwitz. É uma história incrível, e não consigo nem imaginar tudo por que ele passou. Ele descobriu que tinha controle sobre apenas uma coisa, que era sua mente. Poderiam fazer o que quisessem com ele. Poderiam matá-lo. Ele sobreviveu porque estava no controle de sua mente, seu processo de pensamento. Estava ansioso para terminar seu trabalho; estava ansioso para ver sua família. Infelizmente, toda a sua família foi condenada à morte, mas era isto que o movia: ele tinha uma razão para viver. Repetidamente, dizia: "Essa é a única coisa que nos separa dos animais: temos controle sobre nossa mente". Podemos não utilizá-lo, mas temos controle sobre nossas mentes.

Eles podiam fazer o que quisessem, mas não podiam mudar seu processo de pensamento. Com essa mentalidade, ele fazia pequenas coisas, como usar um pedaço de vidro para manter sua barba o mais raspada que podia, para não parecer tão velho. Ele teve o cuidado de não mancar ou fazer qualquer coisa que pudesse levá-lo a ser asfixiado na câmara de gás. Em alguns dias, se alguém fosse pego tentando escapar, não receberia alimento. Ele pegou batatas e as enterrou onde pudesse encontrá-las. Nos dias em que não tinham comida, ele raspava a sujeira e comia. Isso o manteve.

É incrível o que as pessoas podem fazer. Se elas tiverem um porquê, descobrirão como. Isso nos leva de volta aos nossos objetivos. Por que queremos ser médicos? Sonhamos em ir à África para ajudar nações subdesenvolvidas? Por que queremos nos tornar o que queremos ser? Quando o porquê é forte o suficiente, descobriremos como chegar lá. Pode levar algum tempo; pode levar muito tempo. Podemos precisar da ajuda de outras pessoas. Mas se sabemos por que queremos fazer algo e isso é forte o suficiente, encontraremos um *como*.

Os contratempos de Napoleon Hill

O próprio Napoleon Hill sofreu muitos contratempos durante a carreira porque não tinha destreza para lidar com dinheiro, mas sempre teve resistência para continuar em frente. De 1919-1923, quando estava fazendo suas revistas, *Hill's Golden Rule Magazine* e *Napoleon Hill's Magazine*, enfrentou maus negócios com um parceiro e as perdeu.

Hill provavelmente foi superotimista, mas isso também pode ter sido um produto da época. Por exemplo, depois de publicar *As leis originais do triunfo*, em 1928, ele estava recebendo de US$ 2 mil a US$ 3 mil por mês em *royalties*. Era muito dinheiro, mas foi quando ele comprou um Rolls-Royce e uma propriedade de seiscentos acres nas montanhas Catskill.

Claro, sabemos o que aconteceu em outubro de 1929: o mercado de ações entrou em colapso. Ninguém estava comprando nada. Acho que ele foi vítima das circunstâncias, mas, mesmo durante a Segunda Guerra Mundial, ele vendia cursos, falava por todo o país e recebia muitas matrículas. É claro que os jovens, a quem os cursos se destinavam, haviam partido para a guerra. Eles não iriam ter aulas ou mandar dinheiro.

Hill se casou com seu primeiro amor verdadeiro em 1910, e esse casamento durou 25 anos. Em seguida, casou-se com Rosa Lee Beeland, que era cerca de 25 anos mais jovem. Ela era muito bonita e trabalhava como secretária. Ele a conheceu em Atlanta, na Geórgia, e foi amor à primeira vista, ou, como ele disse: "Fiquei doente por ela". Ela procurava um homem que tivesse muito dinheiro, que ele não tinha, mas ela contribuiu muito. Ela o ajudou a escrever *Quem pensa enriquece: Edição oficial e original de 1937* – por exemplo, os capítulos sobre o mistério da transmutação sexual. Eles compraram uma grande mansão na Flórida. Claro, acabaram se divorciando; ela se casou com seu advogado, eu acho. Isso foi no final dos anos 1930. Quando eles se divorciaram, ela o deixou realmente quebrado financeiramente.

Hill teve três filhos. Um deles, David, foi um dos soldados mais condecorados da Virgínia Ocidental. Ele serviu por trinta anos na Marinha, na Segunda Guerra Mundial e na Guerra da Coreia. Uma das filhas de David tinha quatro filhos: três médicos e um banqueiro.

A vida de Hill mudou em 1941, quando ele conheceu Annie Lou Norman, sua última esposa. Hill foi casado com ela por 27 anos, de 1943 até a morte dele, em 1970. Ela era aluna em uma classe na qual ele dava aulas em um colégio presbiteriano em Clinton, na Carolina do Sul. Na verdade, Hill escreveu um livro para ela: "Para minha aluna Annie Lou Norman". Em 23 de dezembro de 1943, o dia em que se casaram, ele escreveu novamente no livro, dizendo: "Você tinha o livro e agora tem o autor".

Ele se deu muito bem a partir de então. Annie Lou foi uma grande ajuda. Ela tinha sido contadora e mantinha as finanças dele em ordem; ela também o ajudou a gerenciar as reservas. Ele palestrou em oitenta cidades diferentes em um ano. Viajava de carro e mantinha agendas nas quais anotava, por exemplo, que havia comprado US$ 2 em combustível, pagado US$ 3,10 por uma refeição. Annie Lou digitava muitos de seus discursos e guardava recortes de jornais e palestras ministradas por todo o país.

Em 1945, Hill escreveu *A chave para a prosperidade*. No verso, colocou: "Se o leitor enviar ao autor um envelope endereçado e selado, enviarei um livro autografado e um ensaio". Ele fez isso para desenvolver uma lista de mala direta para vender outros materiais seus.

Ainda recebemos um ou dois desses pedidos todas as semanas.

Reimprimimos o *bookplate* e mantemos os ensaios impressos. Ele escreveu um ensaio sobre tolerância e outro com dez regras para o sucesso. Nós os imprimimos com uma borda para que possam ser emoldurados, e as pessoas ainda pedem por eles. É uma maneira muito boa de fazer contato, porque sempre posso acrescentar algo sobre um novo livro que foi lançado ou algum outro produto. Ele fez isso como uma estratégia de marketing e ainda é uma boa ideia.

Mantendo-se no caminho certo

Às vezes parece que as coisas estão quase conspirando para nos desviar do caminho em nossa carreira. Certas forças no mundo podem nos afastar de nossos objetivos, de nossos planos e de agir. Temos smartphones, redes sociais, e-mail. Em alguns setores, as pessoas recebem até duzentos e-mails por dia. Às vezes perguntam que conselho Hill, que escreveu em uma época muito diferente, pode nos dar para hoje. Para mim, trata-se de separar o importante do sem importância. Por exemplo, em uma manhã, posso descobrir que meu assistente imprimiu um número inacreditável de e-mails. Eu os examino rapidamente para ver quais têm a ver com publicações. Classifico as coisas que precisam ser feitas, como um contrato com uma editora estrangeira que nosso advogado pode ter preparado. Vou dar uma olhada, assiná-lo e entregá-lo a Zane. Ele vai escanear o contrato e enviar para a editora estrangeira. Essas são coisas bem rotineiras, mas nada acontece até que eu tenha esses contratos assinados e enviados.

Claro, recebemos muitas perguntas sobre Hill: ele morreu falido? Quantas vezes ele se casou? Ele vendeu sua máquina de escrever por US$ 10? Você poderia chamar de absurdo a curiosidade das pessoas. Posso até responder, mas certamente não é uma prioridade. Também recebemos mensagens de prisioneiros pedindo livros. Normalmente, apenas as entrego a Zane e digo: "Envie-lhes um livro". Você não pode deixar essas coisas serem prioridade. Não seria bom chegar ao fim do dia e encontrar um contrato que pode valer vários milhares de dólares ainda na minha mesa.

Separando o importante do sem importância, posso cometer erros. Posso escolher a coisa errada, que não se materializa em nada, mas que, quando li pela primeira vez, parecia ser o que mais precisava da minha atenção.

Com alguns projetos, estamos dando um passo à frente. Constantemente tenho outros que devo colocar em banho-maria. Nem sempre é uma questão de dinheiro, porque alguns dos projetos que dão mais satisfação pagam menos, como a publicação de livros no Irã e na Arábia Saudita.

Quando trabalhava no setor financeiro, era jovem, mas sentia que poderia fazer qualquer coisa que o gerente fizesse. Aprendi sobre decisões de crédito e estava de fato na rua para ver com os meus próprios olhos quais problemas as pessoas enfrentavam. Fazendo cobranças, aprendi a falar com elas e compreendi uma coisa. A maioria pensa que as cobranças envolvem um cara grande como um segurança que sai e as assusta até que elas paguem.

Isso pode funcionar por um tempo, mas as pessoas criam resistência. Elas simplesmente não abrem mais a porta. Você sabe que tem alguém lá; você ouve o rádio e, de repente, tudo fica em silêncio e ninguém vem abrir a porta. Você pode ter dirigido quarenta, cinquenta quilômetros ou mais para vê-los, mas não pode fazer nada a respeito; não pode arrombar a porta.

Em vez disso, quando conversava com essas pessoas, dizia: "Temos um problema". Se elas respondessem: "O que você quer dizer com *nós*?", eu explicaria: "Bem, o escritório ao qual você deve dinheiro veio até mim. Este é o meu trabalho. Estou sendo pago para receber esse dinheiro e gostaria de trabalhar com você". Eu as convencia de que estava do lado delas. Diria coisas como: "Você pode fazer um pagamento hoje; pode pegar emprestado de algum lugar? Tenho que ir para Clintwood; posso voltar por aqui". Eu tentaria trabalhar com elas. Falaria: "Você tem três pagamentos a serem feitos. Se eu devolver um pagamento a eles, eles vão deixar você ficar com seu carro; caso contrário, me disseram para vir aqui e pegar o carro, mas não quero fazer isso. Se fizermos isso, perderemos você como cliente. Como você esteve conosco durante todo esse tempo, gostaríamos de trabalhar com você e resolver seu problema". Aprendi a apelar para as pessoas estando do lado delas. Éramos nós contra os grandes.

Superando o medo

Naquela época, eu nunca viajava muito além de passar férias de carro em algum parque nacional, como o Smoky Mountains. Pescava em um lago e dormia no chão, não ficando em um quarto. Vivíamos uma vida muito simples.

Eu queria muito ser promovido, e isso significava que precisava ser transferido para Indianápolis. Eles me enviaram passagens de avião para ir a Louisville a fim de ser entrevistado pelo presidente da empresa. Eu nunca tinha voado e estava morrendo de medo de viajar em um avião. Nunca tinha estado em um lugar tão grande como Louisville, e pegar um táxi para o centro da cidade, fazer o *check-in* em um hotel e ir ao escritório dele era um grande desafio, mas eu queria o trabalho o suficiente para enfrentá-lo.

Então nos mudamos para Indiana. Lembro-me do primeiro lugar em que me colocaram – nossa, era um lixão. Minha esposa não estava comigo. Eu tinha ido algumas semanas antes, para me instalar. Foi decepcionante, para ela, ver o lugar para onde nos mudaram, então imediatamente encontrei um duplex na pequena cidade de Mooresville, de onde John Dillinger era. Foi traumático, mas eu queria muito o trabalho para superar tudo isso. Meu desejo de ter sucesso me fez superar qualquer relutância ou medo que eu tivesse.

Eu poderia ter continuado no antigo emprego e, em alguns anos, um dos outros caras poderia ter se aposentado, morrido ou aceitado outro emprego, mas pude ver que havia pouquíssima atividade. Os caras mais velhos já estavam por lá fazia um bom tempo. Eu tinha que encontrar todos eles em reuniões, e nenhum deles estava realmente atentos fazia anos. Era bem provável que eles estavam na casa dos quarenta, cinquenta e sessenta anos. Eu era extremamente ambicioso. Mal podia esperar para ser promovido. Não achava que era muito mais inteligente, porém estava disposto a trabalhar mais do que a maioria das pessoas com quem convivia. Se há um segredo, é isto – ir além e muito mais. De qualquer forma, o desejo de progredir superou tudo o que estava me impedindo.

Antes de minha esposa, com quem fui casado por 54 anos, falecer, ela disse a minha filha Donna: "Nunca deixe seu pai parar de trabalhar. Ele não sobreviveria quinze minutos".

No momento em que escrevo este livro, estou com 79 anos. Os curadores me perguntam: "Don, por quanto tempo você vai trabalhar?". Eu respondo: "Enquanto eu tiver os sentimentos e a paixão que tenho agora, não vejo um fim à vista". Nunca estabeleci uma meta, como me aposentar aos 65 ou 70. Me aposentar para quê? Eu tenho a melhor vida do mundo. Por que eu pararia? Não faz sentido. Há outras coisas que quero fazer além, como trabalhar com a Universidade da Virgínia, mas também posso fazer isso. Constantemente, posso fazer outras coisas para contribuir de alguma forma. Ainda fico emocionado ao vê-las acontecer. Algumas delas não acontecem no grau que você deseja, ou tão rápido. Mas isso não significa que você vai desistir.

Hábitos diários

Claro, tenho hábitos diários que me mantêm no estado de espírito que desejo. Acordo cedo todas as manhãs e sempre tomo café da manhã. Como mingau de aveia quase todos os dias, para manter a mente renovada. Escrevo metas em cartões que mantenho comigo. Hábitos diários como esses fornecem estrutura para me manter com o estado de espírito correto durante o dia.

Leio um pouco de manhã, para me sentir melhor. A revista *Guideposts* tem um versículo para o dia, e é incrível lê-lo e sentir que foi escrito para você. Também leio algumas obras de natureza espiritual antes de ir para a cama.

Quando saio do trabalho, a primeira coisa que faço é trocar de roupa e caminhar pelo menos seis quilômetros. Provavelmente não perco um dia por mês; sempre encontro uma maneira de caminhar. No inverno, tenho acesso ao centro recreativo do ginásio, que tem uma pista de caminhada no alto. Posso olhar para baixo e ver meninas e meninos praticando basquete ou algum outro esporte. Quando saio do escritório, a primeira coisa que tenho em mente é ir ao centro de recreação. Você arranja tempo para isso, e se torna um hábito.

Minha filha faz a mesma coisa. Ela caminha todos os dias, às vezes de manhã, às vezes à noite, mas ela vai lá e faz. É a nossa rotina e, embora se torne um hábito, acho que é saudável. Algumas pessoas acham que suas rotinas são entediantes, dizendo coisas do tipo: "Eu *tenho* que ir trabalhar na segunda-feira". Eu penso: "Eu *posso* ir". Essa é a grande diferença.

Recentemente, recebi uma mensagem de uma mulher que foi contadora do meu banco durante anos. Ela perguntou: "Como você pode mudar toda essa linguagem chula na TV?". Respondi: "Vou lhe dar a solução mais rápida do mundo: não ligue a TV e pegue um livro".

Cheguei em casa um dia e disse a minha esposa que havia me encontrado com um advogado. Ela queria saber se algo de errado tinha acontecido. Falei: "Não. Vou abrir uma empresa de TV a cabo".

"É difícil de acreditar, você nem assiste TV."

"Mas aparentemente todo mundo assiste."

Vejam as estatísticas: uma pessoa em média assiste de seis a oito horas de televisão por dia. Uma das citações de Hill é "Diga-me o que você está fazendo com seu tempo livre, e eu lhe direi o que você vai conquistar na vida". Você pode se tornar neurocirurgião se dedicar anos suficientes de estudo e trabalho a isso.

Havia uma mulher chamada Janet que trabalhava para mim. Ela estava uma ruína humana, e eu a contratei por compaixão, porque ela era uma boa amiga de alguns de meus funcionários, e eu precisava de alguém. Janet tinha dificuldade para se controlar.

Janet perdeu um filho quando ele tinha nove anos. Ele foi para o hospital, administraram algo para sua respiração, ele entrou em coma e morreu. Ela me disse: "Ninguém pode dizer a você 'Eu sei como você se sente' se você já perdeu um filho. Ninguém sabe como você se sente. As pessoas têm boas intenções, mas nunca saberão".

Ela era uma garota bonita que cantava no coro de uma igreja. Janet fez o trabalho de secretária para mim. Cada vez que eu olhava para ela, o rímel escorria por seu rosto. Eu perguntava: "O que há de errado com Janet hoje?". Era o aniversário do filho dela, ou era seu primeiro dia na escola, e essas coisas se faziam vivas, embora ele já tivesse morrido fazia alguns anos.

Um dia perguntei a ela: "Janet, o que você gostaria de estar fazendo?".

"Eu daria qualquer coisa para terminar a faculdade e dar aula para os pequenos. Amo estar perto de crianças."

"E por que você não faz isso?"

"Não posso deixar de trabalhar, porque estamos pagando por uma casa e precisamos de duas rendas."

"Você pode voltar para as aulas noturnas."

"Provavelmente levará três, quatro ou cinco anos. Não sei quanta carga eu poderia suportar, mas seria muito mais velha já."

"Deixe-me fazer uma pergunta, quantos anos você terá se não for à escola?"

"Terei a mesma idade", disse ela, e, quando percebeu o que disse, começou a rir.

Falei: "Você vai voltar a estudar. Vou pagar por isso. Você não tem desculpas. Se não voltar, não mencione mais, porque você teve uma oportunidade".

Isso foi há cerca de 25 ou 30 anos, porque ela está prestes a se aposentar. Ela ensinou os pequenos. Às vezes, me chamava para falar com eles, e eles estavam rastejando atrás dela por todos os lugares. Eu disse: "Puxa, você tem que ter jeito para isso".

Janet também tinha uma filha, que era mais nova do que o filho. Ela cresceu, foi para a faculdade e tornou-se professora primária, então mãe e filha davam aula para crianças.

É possível enfrentar o desafio e seguir em frente. Como o Sr. Stone nos disse: "Você não consegue afastar a preocupação". Você pode substituí-la por algo para que se torne uma paixão, algo que ocupará seu tempo e sua mente para fugir do que o está incomodando. O medo é o maior impedimento para o sucesso – medo do desconhecido, mesmo que seja apenas um simples medo de viajar. Não foi feito para ser um obstáculo, foi feito para ser um trampolim, mas muitas pessoas simplesmente não querem enfrentá-lo, porque procuram um resultado negativo em vez de um positivo.

Se você lê ou assiste às notícias, certamente já ouviu sobre os níveis de ansiedade na sociedade atual, que parecem estar em patamares epidêmicos. Somos uma sociedade acelerada agora, e isso se tornou um problema real. No entanto, estudos dizem que apenas 5% de nossas preocupações diárias são reais; 95% nunca acontecem. Seria incrível se as pessoas pudessem separar os 5% dos 95%, pois muitas delas provavelmente pensam que estão se preocupando com algo importante. Qual seria uma boa estratégia para focar apenas em suas preocupações legítimas? Como você descarta esses outros 95%?

Alguém disse uma vez que, no final da vida, descobriu que quase todas as coisas com que se preocupava nunca aconteciam, e nada podia ser feito a respeito daquelas que ocorriam.

Acho que é uma questão de decomposição. Primeiro, eu perguntaria: qual é a pior coisa que poderia acontecer? É realmente importante? E, então, há algo que eu possa fazer sobre isso? Porque você não consegue raciocinar.

Quando alguém é hostil com você, você pode sentar e se preocupar com isso, mas não sabe o que a pessoa está passando. Em qualquer caso, você não pode deixar que isso o incomode. Lembre-se, não há basicamente nada que possamos fazer para controlar o que outras pessoas nos dizem, mas podemos controlar como reagimos. Se aprendermos a fazer isso, descobriremos que temos pouquíssimos problemas na vida. Se não há nada que possamos fazer para resolver um problema, temos que tirá-lo da cabeça e nos concentrar em outra coisa.

Aprendemos milhares de vezes em nossas leituras: simplesmente mantenha a mente nas coisas que você quer e longe das que você não quer. Temos uma escolha. Podemos sentar e fazer algum planejamento; podemos trabalhar em metas pelas quais temos paixão. Não podemos trabalhar em algo com paixão e preocupação ao mesmo tempo. Temos que escolher. Passo meu tempo me concentrando no que quero que aconteça ou fico sentado pensando em algo ruim sobre o qual provavelmente não posso fazer nada a respeito?

Considere a situação mundial. Há um poema escrito por um homem cem anos atrás. Ele disse que queria mudar o mundo. Descobriu que não podia. Queria mudar seu estado, mas não conseguiu. Ele queria mudar sua família, mas não conseguiu. Descobriu que, se mudasse a si mesmo, começando com seus pensamentos mais íntimos, poderia mudar sua família. Mudando sua família, poderia mudar sua comunidade, e mudando a comunidade poderia mudar o mundo. Tudo começa conosco individualmente. O exterior simplesmente reflete o que somos por dentro, bom ou mau.

CAPÍTULO 4

PROPÓSITO E CRENÇA

Vamos nos aprofundar um pouco mais nas crenças. Muitas vezes podemos traçar o melhor propósito e podemos traçar metas para nós mesmos, mas somos impedidos por nossas crenças – seja sobre nós mesmos, seja sobre o mundo. A crença muitas vezes parece profundamente enraizada, quase como algo no sistema nervoso que pode ter sido condicionada sem interrupção na infância; às vezes pode ser muito difícil de eliminar. Vamos falar sobre como formamos essas crenças, o que dizemos a nós mesmos e os pensamentos que permitimos ocupar nossa mente.

O livro de Rhonda Byrne *O segredo*, de 2006, discutiu a lei da atração, que diz que nossa conversa interna e pensamentos atraem bons ou maus resultados para nossas vidas, como uma profecia que se autorrealiza. Na verdade, essa não foi uma descoberta nova. Napoleon Hill discutiu a lei da atração em muitas de suas obras. Ele escreveu sobre isso pela primeira vez na edição de março de 1919 da *Hill's Golden Rule Magazine*. Isso vem de muito, muito tempo. Em termos simples, é semelhante atrai semelhante – bom ou ruim.

Mas acho que você tem que voltar um pouco mais ainda. Tem que voltar para sua paixão, seu propósito. A Bíblia nos diz que devemos encontrar nosso propósito. Há uma citação maravilhosa de Oprah Winfrey afirmando que é nosso trabalho encontrar nosso propósito, então vá em frente. Pessoas que não têm um são como uma erva daninha à deriva. Hill comparou a mente a um jardim fértil. Não importa quão bom seja o solo, se não for cuidado, as ervas daninhas surgirão. Isso significa simplesmente que observamos nossos pensamentos e ações até que se tornem hábitos, mas isso tem que começar com a busca de um propósito na vida.

Você quer ser médico? Quer ser veterinário? Quer ser professor? Se uma paixão o impulsiona com força suficiente, você ignora todos os obstáculos à frente. Percebe que será um trabalho árduo e um longo caminho, mas simplesmente dá um passo de cada vez. É como um GPS: sem essas direções, ficamos à deriva. Novamente, é extremamente importante – nunca é demais repetir – manter nossas mentes no que queremos e fora do que não queremos.

Hill nos ensinou a capacidade de escolha, o que faz toda a diferença. Felizmente, na maioria das vezes, estamos fazendo a escolha certa. Hill fala sobre nossos pensamentos dominantes, que determinarão onde terminaremos na vida, seja no sucesso, seja na mediocridade, seja no fracasso.

É importante distinguir uma crença de um desejo. A meu ver, uma crença tem a ver com algo que você não apenas deseja, mas espera realizar. Você espera resultados, enquanto com desejos você pode dizer que gostaria que isso acontecesse, mas basicamente não vai fazer nada a respeito: "Eu gostaria de ter muito dinheiro". Um desejo não o leva a lugar nenhum. Tem que ser mais do que um desejo.

Uma crença começa com fé e confiança em você mesmo. Embora possa começar com algumas pequenas dúvidas, conforme você trabalha em direção ao seu objetivo e realiza parte dele, cada passo lhe dá confiança. Você tem que fazer algo que o leve para mais perto do que você deseja. Você pode dizer que está no caminho certo, mas, se não estiver se movendo, será atropelado.

Em 1930, Hill escreveu um artigo para o *New York Post*. É um artigo enorme; ocupa quase uma página inteira. Laminei e coloquei na porta do meu armário de arquivos. Nele Hill fala sobre ganhar autoconfiança. Tudo começa com um propósito, algo pelo qual você tem paixão. Então é uma questão de acreditar que você pode realizá-lo, ter fé de que pode fazê-lo. Para resolver um problema ou obter o que deseja, é preciso acreditar: se você acredita que isso não vai acontecer, simplesmente não vai se esforçar. Por que se esforçaria?

Você pode simplesmente se sentar no sofá e pensar em ideias, mas as ideias em si são absolutamente inúteis. Você pode ter as melhores ideias do mundo – sejam elas sobre criar um novo produto, escrever um livro ou qualquer outra coisa –, mas, se não acredita que pode realizá-las, não vai fazer nada. Você vai pensar: "Sim, eu gostaria de ter isso, mas por que perder meu tempo? Isso nunca vai acontecer". Com essa atitude, isso *realmente* nunca vai se concretizar.

Você tem que dizer: "Isso é o que vou fazer". Essa é a razão pela qual discuti sobre como escrever metas. É um contrato com você mesmo. Não é alguém dizendo: "Filho, quero que você seja médico ou advogado". Essa é outra pessoa fornecendo informações externas a você. É você quem toma a decisão: "Quero me tornar médico. Quero me tornar advogado". Se trabalharmos em direção a uma meta com paixão, é natural acreditar que seremos capazes de alcançá-la.

Passado negativo, futuro positivo

Alguém lendo isso pode dizer: "Don, você parece uma pessoa muito positiva. Você teve uma vida maravilhosa. Você disse que teve uma ótima infância. Bom, deixe-me contar sobre minha infância, Don. Fui criado por uma mãe solo que era alcoólatra. Nunca conheci meu pai". Talvez uma mãe ou um pai tenha morrido jovem, deixado a família ou ido à falência. Algumas crianças podem ter crescido em um ambiente complicado, em uma vizinhança ruim, com drogas por toda parte. Eles podem pensar: "É fácil para ele dizer 'Basta colocar o seu foco aqui', mas nada na minha vida apoia a possibilidade de um resultado positivo".

A primeira coisa que eu diria é: quanto maior a adversidade, maior a recompensa e mais doces os resultados, porque você teve que se esforçar, e pode olhar para trás e ver o quanto conquistou. Além disso, você está entre as pessoas mais sortudas do mundo por simplesmente ter nascido nos Estados Unidos, porque as oportunidades são absolutamente inacreditáveis. Temos que aprender a avistá-las. Se o navio não chegar, nade até onde ele está. Se ninguém lhe oferece um emprego, peça um. Peça favores e aprenda a não aceitar "não" como resposta, mas não dá para continuar apenas inventando desculpas.

Lembro-me de um programa de TV em que uma menina de cerca de doze anos estava sempre reclamando: "Mamãe não fez isso e não fez aquilo". Sua mãe finalmente disse a ela: "Eu não tive instrução. Fiz o melhor que pude com o que tinha".

Não nasci em uma família rica. Isso é culpa dos meus pais? Eles trabalharam muito e se consideraram bem-sucedidos. Tinham padrões mais baixos do que temos hoje. Achavam que o ensino médio era absolutamente ótimo e suficiente. Quando Napoleon Hill estava crescendo, no final do século 19, a escolaridade não era obrigatória no estado da Virgínia. Havia apenas cerca de vinte escolas de ensino médio no estado, e elas eram apenas para meninos. Os meninos conseguiam emprego em alguma mina de carvão ou em uma madeireira, e as meninas se casavam. Alguns de nós chegaram e disseram: "Isso é tudo que existe?".

Meu pai trabalhava em uma mina de carvão e ganhava bem, mas a expectativa de vida de um mineiro de carvão naquela época era cerca de vinte anos menor do que a dos outros homens. É perigoso. Pensei: "Puxa, não sou preguiçoso, mas esses caras estão fazendo esse trabalho e estão apenas ganhando a vida. Outras pessoas estão usando o cérebro e ficando ricas".

Na verdade, tudo se resume a quanto você deseja algo. As desculpas não o levam a lugar nenhum. Claro, seus pais eram alcoólatras, mas isso não significa que você tem que ser também. Sim, você tem um desafio maior, mas, como eu disse, quanto mais alto você sobe em um galho para colher a maçã, mais doce será a fruta. Veja que muitas crianças de famílias ricas se tornam um desastre completo. Eles não aguentam nascer com um suposto sucesso que não conquistaram.

Acho que é bom ver que podemos dar um passo de cada vez. Claro, não somos capazes de fazer isso sozinhos, mas teremos aquela sensação de "Sim, eu conquistei algo".

A autossuficiência do meu pai

Meu pai contraiu uma doença mais tarde na vida que o incapacitou parcialmente. Ele cursou a sétima série, mas tinha conhecimentos em mecânica, então colocou alavancas nos pedais do carro para poder dirigir.

Poderia ter sido fácil para meu pai se sentar e assistir à televisão o dia todo sem fazer nada, mas ele fez aulas de cestaria. Sentou-se, fez cestas e ganhou milhares de dólares. Ele não precisava do dinheiro – tinha uma boa aposentadoria e boas economias –, mas isso o colocava em contato com outras pessoas. Elas iam até a casa dele, conversavam com ele e compravam algumas cestas. Eu até dizia a ele: "Pai, você está vendendo muito barato; as pessoas estão revendendo-as". Ele dizia: "Ah, tudo bem". Escreveram um grande artigo sobre ele, e meu pai recebeu uma carta do governador do estado, parabenizando-o por sua habilidade.

Quando eu era presidente do banco, tinha um grande aparador, e as cestas do papai ficavam em cima dele, porque tinha orgulho delas. Eram cestas lindas, que usei para várias coisas. Um dia, um advogado veio ao meu escritório e as viu. Ele comentou: "Você conhece a mulher que trabalha para mim? Ela tem uma dessas cestas. Ela disse que o pai dela foi quem fez".

"Greg, eu e ela temos o mesmo pai."

"Puxa, eu não sabia disso", disse ele. "Vejo que você a pega para almoçar de vez em quando, mas não pensei nada sobre isso."

"Bem, ela é minha irmã e minha única irmã, e ela é um anjo de pessoa."

Visitei meu pai em um sábado e percebi que o carro não estava lá, mas a porta de casa estava aberta. Entrei. Ele estava deitado no chão da cozinha. Perguntei: "Pai, o que está acontecendo?". Ele disse que alguma resistência na geladeira estava queimada. Deitou-se no chão e a tirou. Explicou à mamãe o que precisava e onde comprar. Ele apenas ficou lá deitado no chão até que ela voltasse para que pudesse terminar de consertar.

Meu pai era tão independente quanto qualquer outra pessoa. Ele mesmo trocava o óleo e lubrificava o próprio carro. Cortava a própria grama, cultivava flores e apenas se mantinha ocupado. Alguns dos vizinhos não dirigiam ou eram já muito velhos. Ele os levava ao médico ou ao hospital, ou para fazer compras. Mesmo estando parcialmente paralisado, fazia uso das mãos e da mente.

Tem muito a ver com a maneira como interpretamos as coisas. Digamos que este livro seja lançado e que eu submeta uma consulta a quinhentas editoras estrangeiras. Recebo respostas de vinte ou trinta que querem ver e acabo fechando cinco ou dez contratos. Penso nos contratos que consegui, ou em todas outras centenas de editoras que nunca responderam? Isso depende de mim.

Na minha opinião, a felicidade não é um objetivo. Até parece um pouco estúpido: "Quero ser feliz". Ok, pule para cima e para baixo o quanto quiser. A felicidade vem da satisfação de fazer algo, seja brincar com seus netos, seja ler um bom livro, seja fazer uma viagem. Talvez comece com nossos processos de pensamento. É como fazer uma viagem: a antecipação – saber o que está por vir – às vezes é mais satisfatória do que a própria viagem. Mesmo assim, a satisfação é o resultado não tanto de pensar quanto de fazer. Vá em frente e pense em felicidade, mas a felicidade virá para você por causa do que você está fazendo.

Crenças sobre dinheiro

Na minha opinião, o dinheiro é um objetivo final ruim, porque as pessoas que se concentram nele podem acabar fazendo coisas que não são corretas. Acho que o dinheiro deveria chegar até nós por fazermos algo de que gostamos.

Existem apenas duas maneiras legítimas de ganhar dinheiro: vendendo um produto ou um serviço. Se fornecermos um serviço excelente ou um produto excelente, o dinheiro será o resultado do que estamos fazendo, e não uma meta em si. Novamente, você pode ver o dinheiro de duas maneiras diferentes: você possui o dinheiro ou o dinheiro o possui? Quando o dinheiro determina todos os seus atos, não acho que você desenvolverá um sentimento de gratidão. Não acho que você jamais terá felicidade até descobrir que o dinheiro é apenas uma ferramenta. Sim, você pode ter uma vida melhor, mas também pode fazer a diferença na vida de outras pessoas ou em causas de sua própria escolha. Você pode ter US$ 1 milhão e ser feliz ou pode ter US$ 20 milhões e ser infeliz. Acho que, se você for recompensado pelos resultados do que conquistou, o dinheiro é um subproduto. Será muito satisfatório para você. Você encontrará lugares onde o dinheiro pode ser usado para melhorar a vida de outras pessoas.

CAPÍTULO 5

DESEJO E DISCIPLINA

Disciplina, acho, começa com o que o motiva. Certa vez, lembro-me de um executivo dizendo que estava tendo problemas com o peso, então começou a correr. Ele disse que odiava, mas se disciplinou. Certa vez, ele estava correndo na chuva e, de repente, percebeu como sentia-se feliz por estar ali.

Quando você começa a fazer algo e visualiza os resultados que obterá, o processo fica mais fácil. Várias pessoas dizem que leva um certo número de dias – algumas dizem 14, outras dizem 56 – para que algo se torne hábito. Não sei como eles chegam a esses números, mas sei que, se você repetir uma atividade, como o exercício, ela ficará cada vez mais fácil. Torna-se rotina, e você vai fazer quase automaticamente.

Se o seu desejo for forte, você terá disciplina para perseverar nele. As pessoas estão na prisão por um motivo: falta de disciplina.

Se você não tiver disciplina, acabará em um lugar onde pessoas o alimentam com o que querem, quando querem. Faltou a essas pessoas apenas uma coisa na vida: elas nunca se disciplinaram e acabaram em um lugar onde a disciplina é imposta a elas. Essas pessoas nunca pensaram com antecedência suficiente sobre consequências.

Claro, muitas pessoas querem as recompensas da disciplina imediatamente, mesmo que às vezes estejam no caminho certo. Não sei o quanto de exercício vai melhorar sua vida, mas sei que vai melhorar. Acontecem algumas coisas que estão além do nosso controle, mas há muito que podemos fazer para melhorar nossas chances.

É como ser obeso: você pode ter trinta anos e ser tão grande que não consiga sentar-se em uma poltrona de avião. Praticamente sempre o que falta é uma única coisa: você nunca se disciplinou com a alimentação ou exercícios.

Os problemas de dinheiro e peso são resolvidos com matemática da terceira série. Se você for muito pesado, há duas maneiras de lidar com seu problema. Uma é comer menos, e outra é queimar mais calorias. Qualquer uma trará melhorias, mas, se você fizer ambas, chegará lá mais rápido.

Com o dinheiro é a mesma coisa. É matemática da terceira série: se você gasta mais dinheiro do que ganha, terá problemas. Existem duas maneiras de resolver o problema: você pode gastar menos e ganhar mais dinheiro. Se puder fazer os dois ao mesmo tempo, chegará lá mais rapidamente, mas, em qualquer caso, a disciplina é simplesmente uma questão de matemática da terceira série. É só isso.

Algumas pessoas nunca desenvolvem disciplina e levam uma vida miserável. Digamos que alguém lhe diga "Vamos naquele restaurante novo", e você fale: "Ouvi dizer que é bastante caro". Será dito: "Sim, é, mas a comida é maravilhosa". Então você diz que irá em algumas semanas, quando receber seu cheque do governo. Isso não é levar uma vida agradável.

Às vezes, as pessoas complicam demais a disciplina. Todos os anos, dezenas de livros de dieta são publicados com todos os tipos de fórmulas diferentes: a dieta com carboidratos, a dieta com proteínas e assim por diante. Minha esposa disse que uma vez as mulheres, no salão de beleza, estavam discutindo uma nova dieta. Uma delas falava sem parar sobre como era fácil e quanto peso as pessoas perdiam com ela. Finalmente, alguém perguntou: "Onde você leu isso?". Estava em uma revista popular, que pode não ter sido a melhor fonte.

Mais tarde na vida, Liz Taylor ganhou muito peso. Eles colocaram a foto dela na capa de uma dessas revistas, e essa foi a edição mais vendida que eles já tiveram, porque as mulheres que estavam tendo problemas de peso podiam olhar para ela e dizer: "Liz Taylor era uma das mais bonitas mulheres no mundo. Agora, olhe para ela. Não me sinto tão mal comigo mesma". Acho que a miséria adora companhia, embora eu não saiba o que isso faz de bom para você.

Algumas vezes conversei com pessoas que estavam completamente atrasadas com suas contas. Várias delas me diziam: "Aposto que não sou a única pessoa endividada". Eu falava: "Você deve cuidar do seu próprio problema. Se todos na cidade perderem suas casas e você perder a sua também, você vai se sentir melhor?".

Muitas pessoas se sentem melhor quando pensam: "Não sou o único que está falido" ou "Não sou o único que está devendo". Não sei por que você deveria se sentir melhor por outras pessoas também estarem em uma condição miserável. Você é responsável por si mesmo; não é responsável pelos outros.

A disciplina de Napoleon Hill

Acho que Napoleon Hill foi disciplinado, pelo menos em algumas áreas. Ele era cuidadoso com a alimentação e a saúde e viveu até os 87 anos. Seguiu uma rotina bastante rígida durante a maior parte da vida. Fumava um charuto de vez em quando e dizia que às vezes bebia um ou dois drinques, mas isso nunca lhe causou problemas.

Hill pode ter carecido de disciplina financeira, pelo menos no início – o Rolls-Royce, a propriedade de seiscentos acres em Catskills. Ele provavelmente pensou que era necessário mostrar que seus métodos funcionavam. Hill tinha muitos problemas. Passou pela Grande Depressão e pela Segunda Guerra Mundial. Não foi fácil. Ganhou dinheiro, mas nunca aprendeu a administrá-lo. Achou que era mais uma demonstração de sucesso: Hill nunca desenvolveu uma longa abordagem para isso.

Mas, como eu disse, ele conheceu Annie Lou em 1941 e se casou com ela em 1943, e depois teve 27 bons anos. Annie Lou, que trabalhava com contabilidade, lidava muito bem com as finanças.

Basicamente, foi em seus últimos anos que Hill realizou a maior parte de seus melhores trabalhos e deixou um legado. Ele queria criar uma organização sem fins lucrativos para continuar seus princípios e ensiná-los em todo o mundo. Poderia ter vendido os direitos autorais de seus livros e acumulado muito dinheiro, mas optou por não o fazer. Ele optou por criar uma organização sem fins lucrativos e dar a ela os direitos sobre seus livros para que pudesse continuar sua missão.

CAPÍTULO 6

MENTORIA E APRENDIZADO COM OS OUTROS

A mentoria foi uma grande parte do ensino de Napoleon Hill. Nos grupos de MasterMind, disse ele, as pessoas eram orientadas por outras e ganhavam experiência com elas, em vez de apenas confiar na própria experiência.

Como eu disse, existem duas maneiras de aprendermos, e uma é a associação com outras pessoas. Recentemente, conversei com o cara que me deu o emprego no setor bancário em 1975, e discutimos novas tecnologias. Ele me contou sobre uma nova substância chamada grafeno, que pode decolar nos próximos dez anos. Já está sendo usada em bolas de golfe, mas será utilizada em outros itens, como telefones celulares. Para veículos, é mais leve, mais forte e mais durável do que fibra de vidro ou aço. O problema é que é caro, e eles ainda não o produziram com um custo acessível.

Em qualquer caso, você pode aprender com outras pessoas. Os macacos aprendem com os macacos, então as pessoas podem aprender com pessoas. É um prazer sentar e ouvir os outros, porque não aprendemos nada enquanto falamos.

Dar aula me faz aprender também, porque estudo o assunto. Com os 17 princípios de sucesso de Napoleon Hill, tento dar aos alunos não apenas informações, mas também alguns exemplos com os quais eles possam se identificar.

Especialmente com os jovens, acho que o principal é simplesmente inspirá-los. Quando escrevi um livro, esperava que houvesse pelo menos um jovem que pudesse lê-lo e dizer: "Se aquele velho idiota conseguiu, talvez haja uma chance para mim também".

Recentemente, no *campus* da Universidade da Virgínia em Wise, onde ficam nossos escritórios, conheci um jovem chamado Logan Trent. Falei com ele e disse: "Não lembro de vê-lo aqui antes. Em qual classe você está?".

"Sou calouro", ele respondeu.

Conversamos por alguns minutos. Contei a ele onde ficava meu escritório e acrescentei: "Se você precisar de um bom livro para ler, dê uma passada por lá".

"Posso passar por lá alguma manhã?"

"Sim."

Na manhã seguinte, ele estava lá. Consegui conversar com ele por alguns minutos e lhe dei um livro, e ele saiu se sentindo muito bem. Eu o vi duas ou três vezes desde então, porque os dormitórios são próximos. Espero que ele faça algo com o livro.

A faculdade é uma grande mudança. Meu mentor, Dr. Smiddy, disse: "Sinto-me mal pelos jovens que vêm para a faculdade mas deixam a mente em casa". Em outras palavras, eles não estão mentalmente preparados para fazer a mudança.

Minha filha foi para a Virginia Tech por quatro anos. Ela é filha única; estava sempre conosco; não íamos a lugar nenhum onde não podíamos levar nossa filha. Enquanto ela estava na faculdade, conversávamos com ela todos os dias. Isso foi há 29 anos; minha conta telefônica era de US$ 400 ou US$ 500 por mês. Ela voltava para casa todo fim de semana, ou íamos vê-la, por quatro anos inteiros. Quando ela foi para a faculdade, sabia que seria difícil para ela se separar, mas esse foi o primeiro passo.

Assim que minha filha se formou, era contadora, e acabou viajando para a Brinks, fazendo auditorias para eles em todo o país. Foi uma boa experiência, para ela, poder viajar bastante. Susan Jeffers resumiu isso no título de seu livro: "Sinta o medo e faça isso de qualquer maneira". A ação removerá nossos medos; pensar, não.

Meu bom amigo Jim Stovall escreveu um livro chamado *The Millionaire Map* [O mapa do milionário]. Se você tiver que se lembrar de apenas uma frase desse livro, que seja esta: "Certifique-se de usar um mapa de alguém que já esteve onde você quer chegar."

Vejo muitas pessoas por aí fazendo mentoria sem serem qualificadas. Por exemplo, se seu cunhado acabou de falir, você provavelmente não vai querer prestar muita atenção ao que ele diz sobre finanças. Tenho conhecidos pessoais que representam riscos financeiros, mas estão por aí dando vários conselhos.

Uso uma citação de Henry David Thoreau: "Nunca me sento para escrever antes de me levantar e viver". Não fale sobre algo a menos que tenha demonstrado que funciona. Acho que esse é absolutamente o primeiro critério. Ouvi pessoas como Bill Gates e Warren Buffett porque eles fizeram coisas que funcionam. Acho que posso aprender sobre ações com Warren Buffett. Posso ver o que ele comprou e seu raciocínio por trás disso. Seu conselho vem de um lugar altruísta. Ele não está tentando ganhar dinheiro comigo.

O mesmo conselho nem sempre funciona para as mesmas pessoas. Por exemplo, você pode assumir muito mais riscos financeiros quando for mais jovem. Sim, você escuta os outros e lê e estuda os periódicos. Existem algumas coisas de senso comum que você ouvirá da maioria das pessoas – sobre diversificação e não ter muito dinheiro em espécie –, mas é realmente importante chegar ao ponto onde você pode tomar suas próprias decisões.

No final das contas, o dinheiro mais importante que você vai investir está em você mesmo. O segundo investimento mais importante é em sua família e seus funcionários. É aí que você vai obter os melhores resultados.

É preciso lembrar que quem está vendendo um imóvel deseja vender um imóvel. Pode ou não ser a melhor coisa para você. A pessoa que vende ouro deseja vender ouro para você, porque ganha dinheiro com isso. Você tem que considerar seus motivos.

Acho que a melhor coisa que você pode fazer é educar-se, aprender com essas pessoas e tomar sua própria decisão. Eu nunca disse a ninguém que ações comprar. Alguém pode afirmar: "Don Green me disse para comprar uma ação, e perdi todo esse dinheiro", mas não é muito provável que alguém diga: "Ele me falou sobre essa ação, e ganhei todo esse dinheiro". As pessoas passarão a culpa para outra pessoa: "Meu corretor me disse para comprar isso". Bem, o corretor sugeriu, mas você não toma as próprias decisões? Mesmo que cometa erros, você os vê como experiência de aprendizado.

Quando eu era presidente de banco, tínhamos uma lanchonete no andar de cima, embora eu nunca a usasse. Nunca confraternizei com os funcionários, porque, se você tem sessenta funcionários e leva uma mulher para almoçar, o resto deles vai se perguntar o que está acontecendo, e a imaginação vai correr solta.

Um dos agentes de crédito me disse que algumas das funcionárias estavam sentadas à mesa e discutindo sobre dinheiro. Um deles perguntou: "Quanto de dinheiro você tenta manter no mínimo em sua conta-corrente?". Outra mulher respondeu: "Nunca discutimos dinheiro".

Bem, essas são pessoas que sem dúvida discutem sua vida amorosa e tudo mais, mas não conseguem falar sobre dinheiro. Às vezes, aconselho pessoas que estão tendo problemas com finanças; elas me dizem que estão morando com alguém e não podem conversar sobre dinheiro. Isso é inacreditável.

O princípio do MasterMind

Em relação ao grupo de MasterMind, vamos começar falando sobre o que ele não é. Não é um grupo de pessoas se reunindo, bebendo cerveja e falando sobre o que vão realizar na vida.

Napoleon Hill menciona o caso de Andrew Carnegie. Ele veio para este país ainda jovem, com apenas parte do ensino fundamental. Mesmo assim, formou a U.S. Steel: era a maior siderúrgica do país, porque consolidou todas as outras nela. As pessoas pensaram que ele as comprou para controlar os preços, mas na verdade ele os diminuiu tremendamente. Carnegie, em resumo, liderou a Era do Aço, porque fez o aço de tal forma que ele poderia ser usado em muitos lugares. Ele usou o MasterMind reunindo os químicos, os advogados, os contadores e todas as outras pessoas necessárias para montar seu empreendimento.

O MasterMind é definido como duas ou mais mentes agindo em perfeita harmonia em prol de um objetivo comum. Você pode ter reuniões, consultores ou o que quiser. Cada um no grupo é capaz de ter sua própria ideia – um quer abrir uma mercearia, outro quer construir algo. Eles podem aprender uns com os outros, mas, de acordo com Napoleon Hill, isso não é MasterMind. Uma característica essencial de um grupo de MasterMind é a harmonia, e a outra é que eles têm um problema em comum que estão tentando resolver. Isso faz toda a diferença do mundo.

Andrew Carnegie construiu a U.S. Steel porque sabia como unir as pessoas. Em um caso, contratou um químico da França. Carnegie achava que esse químico era o cara mais brilhante que ele poderia conseguir, mas ele não trabalhava em harmonia com os outros. O que Carnegie fez, demitiu todos os outros? Não, ele substituiu a pessoa que estava perturbando e não estava em harmonia. É um tremendo exemplo de realização fazer aço e torná-lo acessível. Usando o princípio do MasterMind, todos trabalhando para um objetivo comum, eles tiveram excelentes resultados.

Acho que o MasterMind poderia ser aplicado de maneiras diferentes, mas não é uma sessão de confraternização, em que todos lançam ideias para quinze itens diferentes. Não há nada de errado em fazer isso; provavelmente você aprenderá dessa forma também. Porém não é um verdadeiro MasterMind, pela definição de Napoleon Hill.

CAPÍTULO 7

HISTÓRIAS E IDEIAS FAVORITAS

Quem pensa enriquece foi publicado em 1937, no auge da Grande Depressão. Hill disse que foi escrito para milhões de homens e mulheres que viviam na pobreza e com medo da pobreza.

Persistência

De certa forma, esse livro é realmente uma história sobre persistência. No capítulo 1, Hill conta a história de Edwin Barnes. Ele não tinha nenhum recurso, mas tinha um desejo: fazer parceria com o grande inventor Thomas Edison. Hill contou a história de

Barnes e a maneira como ele realizou seu desejo. Hill disse que, se pudesse transmitir essa mensagem ao leitor, o leitor não precisaria ler o resto do livro.

Recebi uma série de cartas do final da vida de Hill, cartas manuscritas de Barnes. Eles se mantiveram em comunicação o tempo todo e tinham até apelidos um para o outro.

Barnes tinha desejo e, acima de tudo, persistência. Ele se tornou o único parceiro de Edison, porque desejava ser seu parceiro e nunca desistiu. Barnes liderou o projeto Dictaphone; Edison deu esse projeto a ele para vender para empresas.

Também adoro a história da menina de nove anos do antigo moinho. Ela vai ao moinho e diz para um homem: "Minha mãe precisa de cinquenta centavos". Ele responde a ela: "Não". A menina não tira os olhos dele e repete: "Minha mãe precisa de cinquenta centavos". Finalmente, ele fala a ela: "Vou bater em você com um pedaço de pau", mas ela continua dizendo: "Minha mãe precisa de cinquenta centavos". Finalmente, ele dá a ela cinquenta centavos. Ela se afasta até a porta, com medo de que ele realmente bata nela.

O homem disse que, depois que isso aconteceu, ficou olhando pela janela por um minuto, percebendo que acabara de ser vencido por uma garota de nove anos. A menina podia não saber o que era persistência, mas a praticou. Ela aceitou a ameaça de espancamento com um pedaço de pau para conseguir aqueles cinquenta centavos. Esse é um tema comum em todo o livro.

Claro, tem também a história do filho de Hill, Blair, que nasceu sem a audição. Hill nunca o deixou ir a uma escola para surdos e mudos. Os médicos disseram a ele para simplesmente superar; que ele nunca seria capaz de ouvir. Mas Hill praticou a autossugestão com ele. Finalmente, o filho recuperou 75% da audição e levou uma vida normal. Foi para a faculdade, tornou-se empresário e serviu em um conselho de banco na Virgínia Ocidental. Essa é uma das maiores histórias de persistência que já existiram.

Esse tema se repete no livro. Hill demonstra várias vezes que as pessoas se tornam bem-sucedidas apenas por meio da persistência. Como Steve Jobs diz: "Cerca de metade do que separa os empreendedores bem-sucedidos dos não bem-sucedidos é a pura perseverança". Sua biografia fala sobre sua persistência em desenvolver e cofundar a Apple. Muitas outras pessoas hoje desenvolveram sua persistência a partir de *Quem pensa enriquece: Edição oficial e original de 1937*.

Concentração e autossugestão

Desejo, persistência, pensamento preciso e MasterMind são princípios que se destacam em *Quem pensa enriquece*. Outro importante é a concentração. Isso significa simplesmente manter a mente no que você quer e fora do que não quer.

Napoleon Hill chegou aos treze passos para a riqueza que descreve em *Quem pensa enriquece* depois de fazer quinhentas entrevistas. A partir disso, simplesmente concluiu que essas eram as coisas que essas pessoas bem-sucedidas faziam. Em outro lugar, Hill disse que costumava aprender mais com as falhas – ou seja, saber o que não fazer, o que é tão importante quanto saber o que fazer. Ele contou que fez mais de dez mil entrevistas no total. Claro, muitas delas eram simplesmente questionários que os entrevistados preencheram e enviaram de volta para ele.

A propósito, o princípio importante de ir mais além não está explicitamente nem em *As leis originais do triunfo,* nem no *Quem pensa enriquece*. A ideia está lá, mas as palavras reais "ir mais além" apareceram pela primeira vez em um dos outros livros, *O método de vendas de Napoleon Hill*, publicado em 1939.

Outro princípio importante, que não acho que seja enfatizado o suficiente, é a autossugestão. Na verdade, a conversa mais importante que teremos em nossa vida ocorre por meio da autossugestão. É assim que desenvolvemos nossas crenças – imaginando e falando para nós mesmos o que queremos realizar e repetindo certas ideias para nós mesmos. Essas coisas se tornam parte do subconsciente.

O que você diz quando fala consigo mesmo? Por exemplo, alguém pode dizer que você nunca correrá uma maratona, mas você pode se livrar disso e mentalmente dizer a si mesmo: "Vou mostrar a eles". Porém, quando afirma a si mesmo: "Não estou em forma para correr uma maratona", você acaba acreditando, mesmo que seja uma mentira. É absolutamente essencial falarmos conosco da maneira certa.

Muito disso está na mente. Já participei de dois torneios de golfe na vida. Um eu ganhei e o outro empatei. Posso dar uma boa tacada porque acredito que, quando eu chegar lá, a bola vai entrar no buraco. Por que você chegaria lá e diria: "Nunca conseguiria dar uma boa tacada"?

Se vou jogar com alguém, quero dizer algo positivo sobre mim. Li o livro de Harvey Penick sobre golfe, e ele diz: "Existem apenas duas coisas envolvidas na tacada: uma delas é a localização, e a outra é a velocidade".

Em primeiro lugar, mentalmente, escolha um local em que você vai [illegible] a tacada. Então, quando estiver se preparando para fazer o mov[illegible]nto, decida com que força: você precisa acertar três metros ou o[illegible]uer que seja. Quando as pessoas tendem a ficar atrás da bola, [illegible]lam para a frente e para trás entre estas duas decisões: "Ond[illegible]to? Com que força eu bato?". Se parte de sua mente está [illegible]o para a frente e para trás, você parece bobo. Mas, se você se concentrar, deve estar relativamente perto, não importa como a tacada acabe.

Se a tacada não der certo, muitas pessoas dirão a si mesmas: "Não sei por que nunca aprendi a tacar". Por que você quer dizer isso para si mesmo? Isso é o mesmo que se preparar para falhar.

O grande segredo para fazer dinheiro

Essa é uma pergunta que eu recebo às vezes. No prefácio de *Quem pensa enriquece: Edição oficial e original de 1937,* Hill declara: "Em todos os capítulos deste livro, é feita menção ao segredo de fazer dinheiro que fez fortunas para mais de quinhentos homens extremamente ricos que analisei cuidadosamente ao longo de um extenso período de anos".

Me perguntaram qual é esse segredo. Cada um de nós pode desenvolver as próprias respostas, mas ofereço algumas sugestões. Em primeiro lugar, o tema central de todos os seus escritos é que tudo o que a mente pode conceber ou acreditar, ela pode alcançar. Em segundo lugar, existe o princípio da ação. Hill enfatiza ter um desejo ardente, fazer um plano e persistir. Isso significa agir. A palavra ação aparece 77 vezes em *Quem pensa enriquece*. Isso é o que você vai encontrar se realmente estudar o livro. Acho que explica muito bem o segredo de Hill, mas ele queria que os leitores descobrissem por conta própria.

Claro, podemos pensar em coisas que não são realistas: provavelmente o homem nunca será capaz de correr um quilômetro em dois segundos. Mesmo assim, acho que é possível afirmar: "O que a mente do homem pode conceber e acreditar, a mente pode alcançar". Você pode aplicar esse conceito ao telégrafo sem fio de Marconi ou à lâmpada incandescente, ou a qualquer outra grande invenção. Tudo começa com uma ideia, mas as ideias em si não valem nada até que se executem as etapas necessárias para fazê-las acontecer.

Hill enfatizou o aprendizado pela prática. Vamos usar como exemplo uma professora de jardim de infância. Ela está rodeada de crianças e está mostrando a elas como criar formas com massinha de modelar. Se ela fizer bichinhos, bolas ou outros objetos diferentes, vai prender a atenção das crianças por um tempo. Porém, se realmente quiser fazer um bom trabalho, irá até cada uma delas e lhes dará um punhado de massinha. Elas ficarão muito mais satisfeitas com o que são capazes de fazer do que com o que ela fez. Terão um sentimento de realização e não vão nem ver a hora passar. Faz toda a diferença no mundo estar envolvido em algo, em vez de apenas ter alguém lhe dizendo o que fazer. As crianças não ficam muito satisfeitas em ver outra pessoa fazendo algo. Mesmo que elas não façam um bom trabalho, desenvolvem aquele sentimento de "Ei, eu mesmo fiz isso. Olha aqui, eu fiz uma banana com essa massinha Play-Doh", e é disso que vão se lembrar.

A escrita de *Quem pensa enriquece*

Hill começou a escrever *Quem pensa enriquece* em 1933 ou 1934, possivelmente antes. Ele o escreveu durante o casamento com Rosa Lee Beeland, e ela contribuiu com o trabalho sobre os assuntos da força do hábito cósmico e a transmutação da energia sexual. Por muito tempo após o divórcio, Rosa foi editora da Popular Mechanics.

Enquanto estava escrevendo o livro, Hill tentava contar as histórias de seus entrevistados e o que eles acreditavam ter impulsionado seu sucesso. A última coisa que ele escreveu foi o título. Seu editor lhe dissera que, se ele não inventasse um título, eles iriam colocar um nome estúpido qualquer. No final, ele produziu um título que fala alto e claro: *Quem pensa enriquece!*

Claro, o livro é sobre dinheiro, com seus passos para a riqueza, mas, se você realmente lê-lo e pensar sobre isso, poderá aplicar os mesmos passos para alcançar qualquer coisa; não precisa necessariamente ser dinheiro. Você pode, por exemplo, querer usar esses princípios para fazer um experimento científico ou inventar algum dispositivo que economize trabalho. Os mesmos princípios se aplicam a qualquer coisa que se esteja tentando fazer.

Hill disse, em alguns de seus escritos, que mais tarde alguém iria aparecer e melhorar o que ele havia feito. Talvez sim, mas, no meu caso, tenho sido cuidadoso; ainda tenho as pastas sobre cada um de seus 17 princípios de sucesso. Embora nos relacionemos com histórias, as histórias devem ser relevantes hoje. Se você vai falar sobre persistência, use Steve Jobs; todas as pessoas hoje têm smartphones, então isso significa algo para elas. Ou podemos usar Billy Ray Cyrus ou Steve Harvey – pessoas com as quais os leitores podem se identificar. Sempre que você puder relacionar uma história atual a um dos princípios, fica muito mais fácil transmitir a mensagem.

A chave para a prosperidade

Deixe-me passar para outro clássico de Hill: *A chave para a prosperidade*. Ele o escreveu em 1945. Nessa época, ele havia se casado com Annie Lou, então, agora tinha dinheiro e estava levando uma vida confortável. Se você estudar o livro, é óbvio que seu pensamento mudou no que diz respeito ao dinheiro. Nesse livro, ele lista as 12 grandes riquezas da vida, mas a segurança econômica é apenas a décima segunda.

A primeira das grandes riquezas da vida é a atitude mental positiva. A segunda é uma boa saúde física. Todos nós sabemos como isso é importante. Ele fala sobre a consciência de saúde, que é produzida por uma mente que pensa em termos de saúde, não de doença; também inclui temperança de hábitos alimentares e atividades físicas adequadamente equilibradas.

A terceira das riquezas é a harmonia nas relações humanas. Ele afirmou que isso começa com você mesmo, e é verdade. Como Shakespeare escreveu: "Acima de tudo sê fiel a ti mesmo, disso se segue, como a noite ao dia, que não podes ser falso com ninguém".

A quarta é liberdade do medo. Claro, a primeira de todas as emoções negativas é o medo. Hill explicou: "Nenhum homem que teme alguma coisa é um homem livre. O medo é um sinal do mal. Onde quer que apareça, o homem encontrará uma causa que deve ser eliminada antes que você possa se tornar rico no sentido mais amplo".

Hill discutiu os sete medos básicos: (1) medo da pobreza; (2) medo de críticas; (3) medo de problemas de saúde; (4) medo da perda do amor; (5) medo da perda da liberdade; (6) medo da velhice; e (7) medo da morte.

A quinta das 12 grandes riquezas era a esperança de realização. Está em todos nós; esperamos uma vida melhor para nós e nossos filhos. Ele disse simplesmente: "A maior de todas as formas de felicidade vem em nosso senso de esperança de realização de algum desejo ainda não alcançado".

O sexto é a capacidade para a fé. Hill disse: "A fé é um elo entre a mente consciente do homem e um grande reservatório universal de Inteligência Infinita. É o solo fértil do jardim da mente humana, onde podem ser produzidas todas as riquezas da vida. É o 'elixir eterno' que confere poder criativo e ação ao impulso do pensamento. A fé é a base de todos os chamados milagres".

A sétima das 12 grandes riquezas é a disposição de compartilhar as próprias bênçãos. Hill escreveu: "Quem não aprendeu a abençoada arte de compartilhar não aprendeu o verdadeiro caminho para a felicidade. Riquezas que não são compartilhadas, sejam elas riquezas materiais, sejam intangíveis, murcham e morrem como a rosa em um caule cortado, pois é uma das primeiras leis da natureza que a inação e o desuso levam à decadência e à morte, e essa lei se aplica às posses materiais do homem, assim como se aplica às células vivas de cada corpo físico". Ele enfatiza a obrigação e a felicidade de compartilhar nossas bênçãos com outras pessoas.

A oitava é um trabalho de amor. "Não pode haver homem mais rico do que aquele que encontrou um trabalho de amor e está ativamente empenhado em realizá-lo, pois o trabalho é a forma mais elevada de expressão humana do desejo. O trabalho é a ligação entre a demanda e o suprimento de todas as necessidades humanas, o precursor de todos os parceiros humanos, o meio pelo qual a imaginação do homem recebe as asas da ação. E todo trabalho de amor é santificado porque traz a alegria da autoexpressão a quem o realiza."

Hill listou a nona como uma mente aberta em todos os assuntos. Como mencionei, ele escreveu um artigo sobre tolerância. Ele afirmou: "A tolerância, que está entre os atributos mais elevados da cultura, é expressa apenas por quem tem uma mente aberta em todos os assuntos. E é apenas o homem de mente aberta que se torna verdadeiramente educado e que está preparado para se beneficiar de maiores riquezas na vida".

A décima é a autodisciplina: "O homem que não é senhor de si mesmo pode nunca se tornar senhor de nada. Aquele que é o mestre de si mesmo pode se tornar o mestre de seu próprio destino terreno, o 'mestre de seu destino, o Capitão de sua alma'. E a forma mais elevada de autodisciplina consiste na expressão da humildade do coração quando alguém alcançou grandes riquezas ou foi ultrapassado por aquilo que comumente é chamado de sucesso". Acho que é uma grande discussão sobre autodisciplina e o que ela faz por nós.

A décima primeira é a capacidade de compreender as pessoas. Hill escreveu: "O homem rico na compreensão das pessoas sempre reconhece que todas elas são fundamentalmente semelhantes no sentido de que evoluíram do mesmo tronco; que todas as atividades humanas são inspiradas por um ou mais dos nove motivos básicos da vida", que ele enumera como (1) amor, (2) sexo, (3) desejo de ganho material, (4) desejo de autopreservação, (5) desejo de liberdade de corpo e mente, (6) desejo de autoexpressão, (7) desejo de perpetuação da vida após a morte, (8) raiva (9) e medo.

Além disso, ele acrescenta, "o homem que deseja compreender os outros deve primeiro compreender a si mesmo. A capacidade de compreender os demais elimina muitas das causas comuns de atrito entre os homens. É a base de toda amizade. É a base de toda harmonia e cooperação entre os homens. É o fundamental de maior importância em todas as lideranças que exigem cooperação amistosa. E alguns acreditam que é uma abordagem de grande importância para a compreensão do Criador de todas as coisas".

A décima segunda, eu acho, é realmente interessante: segurança econômica. *Quem pensa enriquece: Edição oficial e original de 1937* era sobre dinheiro, "para homens ou mulheres que se ressentem da pobreza". Quando escreveu *A chave para a prosperidade*, apenas oito anos depois, ele havia passado por um divórcio que o deixou sem dinheiro, seguido por um casamento feliz que durou 27 anos. Nesse ponto, aprendeu que a segurança econômica não é a coisa mais importante. Nem é a menos importante; é simplesmente a "porção tangível" das doze riquezas.

"A segurança econômica não é alcançada apenas pela posse de dinheiro", escreveu Hill. "É alcançada pelo serviço útil que se presta, pois serviço útil pode ser convertido em todas as formas de necessidades humanas, com ou sem o uso do dinheiro.

"Henry Ford tem segurança econômica não porque controla uma vasta fortuna em dinheiro, mas pela melhor razão de que ele fornece empregos lucrativos para milhões de homens e mulheres e também transporte confiável por automóvel para um número ainda maior de pessoas. O serviço que ele prestou atraiu o dinheiro que ele controla, e é dessa maneira que toda segurança econômica duradoura deve ser alcançada."

No final, as relações humanas e o serviço à humanidade são primordiais. Esta é a missão da Fundação Napoleon Hill: tornar o mundo um lugar melhor para se viver. Focar nas relações humanas é o melhor passo que podemos dar, porque todos temos desejos básicos, como a esperança de realização e o desejo de amizade, cooperação, estar com outras pessoas e ser amado.

Hill tenta apontar as coisas que nos ajudam a chegar lá. Por exemplo, se entendemos as relações humanas, não seremos tão rápidos em julgar alguém ou tomar decisões sobre outras pessoas. Como se costuma dizer, não julgue um homem até que você tenha se posto no lugar dele por um tempo. Podemos ser muito rápidos para julgar uma pessoa quando não conhecemos sua história ou qual é o seu problema. As pessoas podem apenas precisar de algum incentivo. Podem precisar apenas de um amigo.

Existe o ditado: "Faça um amigo: seja um amigo". À medida que Hill se desenvolvia, ele ficava mais interessado em uma vida satisfatória. À medida que avançava – e vemos isso até sua morte –, ficava cada vez mais interessado nesse aspecto da vida; seu último livro foi *Como enriquecer com paz de espírito*. Ficou claro, ele evoluiu de pensar basicamente em nada além de dinheiro para se envolver com outras pessoas e ajudá-las a ter uma vida melhor.

Portanto, se você deseja obter uma imagem mais completa de Napoleon Hill, deve ler *Quem pensa enriquece: Edição oficial e original de 1937* juntamente à *A chave para a prosperidade*.

Sucesso por meio de uma atitude mental positiva

O próximo livro que quero discutir é um dos meus favoritos. Hill o escreveu em coautoria com W. Clement Stone, que foi, como vimos, o fundador original da Fundação Napoleon Hill. O livro é chamado de *Atitude mental positiva*.

Stone nunca havia encontrado Hill, embora tivesse lido seus livros. Stone fora a Chicago para uma convenção odontológica, e Hill estava lá, mas Stone contou que não sabia que Hill ainda estava vivo. Naquele momento, a seguradora de Stone havia crescido astronomicamente, e o livro de Hill era leitura obrigatória para todos os seus funcionários. Stone distribuiu milhares de cópias do livro. Conforme a empresa passou a crescer, ele trazia palestrantes, incluindo agora Hill e muitos outros grandes nomes da época, para falar aos seus sete mil funcionários.

Hill e Stone costumavam ter discussões sobre a importância da atitude mental positiva e, por fim, escreveram esse livro juntos. Claro, Stone escreveu alguns por conta própria e, mais tarde, escreveu dois outros, *Believe and Achieve* [Acredite e conquiste] e *The Success System That Never Fails* [O sistema de sucesso que nunca falha]. Mais tarde ainda, escreveu um livro com a editora e autora do Chicago Tribune, Norma Browning, chamado *O outro lado da mente*, que aborda os fenômenos psíquicos. É um livro interessante; a Fundação Napoleon Hill detém os direitos autorais dessa obra.

Stone cresceu como filho único; sua mãe era costureira. Ele vendia jornais na rua. Quando tinha seis anos, os meninos maiores batiam nele porque diziam que ele estava na esquina deles. Então Stone começou a vender jornais em um restaurante. Eles o expulsaram, mas ele continuou voltando; finalmente, os clientes disseram: "Deixem-no em paz". Do dia para a noite, ele tinha um restaurante ao qual podia ir todas as manhãs para vender jornais. Isso foi persistência. Outra característica que ele desenvolveu foi a fé. Sua mãe o ensinou a se ajoelhar na cama e agradecer todos os dias, não importava o quão tarde fosse.

No início dos anos 1950, Hill estava semiaposentado. Stone o desafiou: "Vamos sair e falar com as pessoas e ensinar este material".

Hill respondeu: "Sim, se você for meu gerente-geral".

Stone assumiu. Eles pretendiam fazer isso por cinco anos, mas a parceria durou dez, de 1952 a 1962.

Em 1959, Hill e Stone publicaram *Atitude mental positiva*. O livro mostra como usar uma atitude mental positiva para livrar a mente de teias de aranha e como definir uma meta e alcançá-la por meio da persistência e da ação positiva. Com linguagem simples e direta, eles apresentam cinco automotivadores que fornecem um trampolim para o sucesso; seis passos para a alegria; e três maneiras de se livrar da culpa. Eles o incentivam a começar agora seus métodos de sucesso nos negócios e na vida social, lendo o que os outros fizeram e como fizeram. Lembre-se de que você também pode fazer isso.

Quando reimprimi esse livro em uma edição de colecionador, Denis Waitley, autor de *Seeds of Greatness and Psychology of Success* [Sementes de grandeza e psicologia do sucesso], endossou-o dizendo que havia mudado sua vida, de concorrente para a de favorito. Se você quer ser vencedor, leia uma vez por ano. Eu leio, e aprendo algo novo a cada vez.

Embora *Atitude mental positiva* tenha sido publicado há mais de sessenta anos, ainda vende muito bem – provavelmente cerca de vinte milhões de cópias em suas 37 edições. Isso diz algo. A maioria dos outros livros desaparece. Eles têm vida útil de um ano, no máximo dois, quando os *royalties* são bons. Não se imagina receber *royalties* por algo que existe há mais de sessenta anos.

O prefácio, de Og Mandino, começa dizendo:

> O grande filósofo e pensador religioso dinamarquês Søren Kierkegaard certa vez escreveu: "É sinal que o livro é bom quando o livro lê você".
>
> Você tem em mãos um livro assim, que não só se tornou um clássico no campo da autoajuda, mas que também tem aquela rara habilidade de se relacionar com seus problemas, simpatizar com eles e então aconselhá-lo sobre suas soluções como um velho sábio amigo faria.

Grande parte da mensagem do livro tem a ver com o desenvolvimento da atitude certa – dizer por que algo pode ser feito em vez de por que não pode ser feito, pensando sim em vez de pensar não.

No prefácio, Mandino continua: "Se você realmente deseja mudar sua vida para melhor e está disposto a pagar um preço em tempo, pensamento e esforço para alcançar seus objetivos – e se você não está se enganando –, então tem em mãos um diamante arrancado de uma praia de seixos, um roteiro para um futuro melhor, um projeto valioso que permitirá que você complete e reestruture seu futuro".

Esse livro o ajuda a remover dúvidas e mudar a mente do pensamento negativo para o pensamento positivo. Acho que todo o progresso do mundo foi feito por pessoas que pensam positivamente, acreditando que algo *pode* ser feito.

Com uma atitude positiva, você fará o que for necessário para ter sucesso: pesquisará, estudará, tentará e tentará novamente e se manterá em seu objetivo. Sua mente ficará no caminho certo, em vez de se distrair. Uma atitude mental positiva não significa ego: "Posso fazer qualquer coisa". É apenas autoconfiança.

Como Mandino e Kierkegaard dizem, o livro lê você. Isso significa que, conforme você avança, pergunta: "Como isso se relaciona comigo?". Essa é a utilidade do livro. Não é um romance que você lê para ver o que acontece no final. Essa é uma informação prática que você pode ler e relacionar com a própria vida, perguntando a si mesmo esta pergunta vital: como isso vai melhorar o que estou tentando fazer?

Se esse livro puder ajudar a movê-lo de um estado negativo para um estado positivo, então ele terá atingido seu objetivo. Esta é a razão para voltar e relê-lo em diferentes períodos da vida: para se familiarizar novamente com os princípios, para que você não saia do caminho. Mais uma vez, não é uma questão de ego: "Eu sou o maior de todos". É apenas uma sensação silenciosa.

Lembro que Stone costumava dizer: "Você tem problemas? Isso é ótimo. As pessoas são pagas para resolver problemas, e, quanto maior o problema que resolvem, mais dinheiro ganham. Os grandes vencedores neste país são pessoas que resolvem grandes problemas". Cada dificuldade é a semente de um benefício equivalente ou maior. Quando vemos algo que está errado, começamos imediatamente a olhar para o que pode ser feito a respeito, como podemos melhorá-lo e como podemos resolvê-lo. É para isso que as pessoas são pagas.

AMP: Atitude Mental Positiva

No final de cada capítulo de *Atitude mental positiva*, Stone e Hill apresentam alguns pensamentos muito específicos e úteis para orientar os leitores. Eles falam de atitude mental positiva, que abreviam como AMP, e oferecem dez recomendações para atrair a felicidade com essa atitude.

Acho que todos os dez poderiam ser resumidos dizendo que, para ser feliz, deve-se fazer os outros felizes. Mas aqui estão eles.

1. Abraham Lincoln disse uma vez: "Tenho observado que as pessoas são quase tão felizes quanto decidem ser".
2. Existem pouquíssimas diferenças entre as pessoas, mas existem pequenas diferenças que fazem uma grande diferença. A pequena diferença é a atitude. A grande diferença é se ela é positiva ou negativa.
3. Uma das maneiras mais seguras de encontrar a felicidade é devotar sua energia para fazer outra pessoa feliz.
4. Se você buscar a felicidade, vai achar difícil de encontrar, mas, se tentar trazer felicidade para outra pessoa, ela retornará para você muitas vezes.
5. Se você compartilhar a felicidade e tudo o que é bom e desejável, atrairá felicidade e o que é bom e desejável.
6. Se você compartilha miséria e infelicidade, vai atrair miséria e infelicidade para si mesmo. Tudo isso remonta a "semelhante atrai semelhante": recebemos o que enviamos. Você não consegue um sorriso de alguém franzindo a testa para ele. Comece semeando o pensamento, porque o que plantamos volta para nós, muitas vezes com muito mais abundância.

7. A felicidade começa em casa. Motive os membros de sua família a serem felizes, assim como um bom vendedor motiva seus clientes em potencial a comprar.
8. Quando duas personalidades fortes se opõem e é desejável que vivam em harmonia, pelo menos uma deve usar o poder da AMP.
9. Seja sensível à reação dos outros.
10. Aprenda a viver com satisfação. Isso significa estar satisfeito com sua posição na vida como ela é. Não significa que não possamos buscar melhorias. Se ainda não estivermos satisfeitos, essas dez etapas com certeza ajudarão nesse processo.

O método de vendas de Napoleon Hill

Deixe-me passar para o *O método de vendas de Napoleon Hill*, que é um de seus livros menos conhecidos. Foi publicado em 1939, quando ele ainda era casado com Rosa Lee Beeland. *O método de vendas de Napoleon Hill* é um excelente livro sobre vendas.

Meu bom amigo Jeffrey Gitomer, autor de *O livro vermelho de vendas: Princípios e técnicas de excelência em vendas* (e um dos autores de vendas mais vendidos da atualidade), tem uma das melhores coleções do material de Napoleon Hill e dá um mundo de créditos ao livro *O método de vendas de Napoleon Hill*. Ele disse que esse livro significou muito para ele, pois cada um de nós está vendendo algo todos os dias, seja para os filhos, seja para os colegas de trabalho, seja para seu empregador. Estamos vendendo nossa personalidade. Muitas pessoas dizem: "Não consigo vender nada". Bem, elas precisam parar e pensar sobre isso, porque, se você quiser chegar a algum lugar na vida, terá que aprender a se vender para os outros.

Os melhores vendedores não vendem o produto; eles vendem a si mesmos. Se for um bom produto, ele se venderá sozinho. Isso se aplica a seguros de vida, carros ou qualquer outro produto ou serviço. Ao mesmo tempo, é melhor você se vender para a outra pessoa para que ela tenha confiança suficiente com o intuito de fazer a compra. É por isso que esse é um livro tão bom, especialmente para pessoas que estão ganhando a vida vendendo produtos. Mas, mesmo se conseguirmos um emprego, estamos nos vendendo (ou pelo menos seria melhor se estivéssemos). Você está se vendendo de maneira positiva ou negativa? As pessoas formam opiniões sobre nós a partir da maneira como nos comportamos. Se você não tem a profissão de vender suas ideias, está vendendo a seus filhos uma maneira de viver, com base em valores morais.

O primeiro passo para ensinar a venda pessoal é a autossugestão. Você se vende por meio das conversas que tem consigo mesmo. No início da carreira, Zig Ziglar vendia utensílios de cozinha. Ele dava festas para cozinhar, mas as pessoas não compravam os itens, elas compravam o aspecto social: alguém entra e faz uma boa refeição, e então a pessoa é convencida a comprar um conjunto de utensílios de cozinha de US$ 399 que, provavelmente, poderia ser comprado em uma loja de descontos por US$ 39. Os clientes estavam comprando a história. Ziglar contou que o primeiro passo é a autossugestão: vender-se com base naquilo com que você trabalha; se você não acredita em um produto que está vendendo, não venda.

Quando dirigia para fazer ligações de vendas, Zig disse, percebeu que estava dando desculpas: “Não vou parar naquela casa. Não parece uma casa muito boa”. Ou ia em direção a alguma e hesitava, pensando: “Eles provavelmente estão prontos para ir dormir”. Ele estava dirigindo a esmo, em vez de adotar uma atitude que pudesse ajudá-lo a vender.

O Sr. Stone, acho, contribuiu muito para o sucesso da atitude mental positiva. Certa vez ele contou uma história. Um vendedor de seguros entrou e lhe perguntou: "Eu gostaria de obter listas com possíveis compradores. Você poderia me fornecer algumas?".

Stone respondeu: "Sim, se você voltar mais tarde hoje, posso lhe fornecer algumas sem problema".

Ele deu ao vendedor uma lista de pessoas, com seus endereços. O homem voltou mais tarde e agradeceu: "Foi maravilhoso. Vendi para nove delas. Você poderia me dar outra lista?".

"Direi o que você deve fazer", falou Stone. "Aqui está uma lista telefônica. Você se senta e escolhe uma pessoa de cada letra. Foi isso que fiz. Acabei de consultar a lista telefônica."

A diferença é que o vendedor entrou com a atitude de que essas pessoas estavam prontas para comprar. Antes, ele tinha a atitude de "Não sei se consigo vender".

Quando o artista Mel Tillis estava tentando fazer sucesso no mundo da música, vendia Bíblias de porta em porta. Ele tinha um problema de fala. Alguém perguntou como Tillis havia conseguido. Ele contou que batia em uma porta; normalmente uma mulher atendia. Ele gaguejava: "S-s-s-senhora, eu est-t-t-tou vendendo Bíblias. Posso entrar para conversar com você? Posso ler para você?". Claro, ele era convidado a entrar. Mesmo tendo um problema de fala, ele teve a atitude certa: "Esta senhora quer comprar as Bíblias que estou vendendo". Praticamente tudo está na atitude.

Um homem diz: "Quando estou no trabalho, fico preocupado com as coisas em casa. Quando chego em casa, fico preocupado com as coisas no trabalho". Zig disse: "Você cansou de viajar. Pula de uma coisa para outra. Pensa em uma direção e depois na outra, em vez de fazer uma autossugestão e dizer a si mesmo: 'Não sei as respostas, mas elas virão até mim'".

É como gostar de si mesmo. Se você gosta de si mesmo, tende a gostar dos outros. Tudo começa com você. Não pode ter uma atitude e exibir outra. A verdadeira vai acabar aparecendo, quer você queira ou não.

Um ponto relacionado tem a ver com ter fé e agir de acordo com ela. Hill disse: "A fé constrói; o medo derruba". A ordem nunca é revertida.

Como enriquecer com paz de espírito

Como enriquecer com paz de espírito, publicado em 1967, foi um dos últimos livros de Hill, e foi o último publicado antes de sua morte, em 1970. De certa forma, representa o pleno florescimento de seu pensamento. Ele se tornou muito mais espiritual.

Hill realmente evoluiu a partir de onde começou. Ele nasceu nos Apalaches, cresceu na pobreza e viu a pobreza. Nessas circunstâncias, seria natural pensar em dinheiro, porque é a melhor solução para a pobreza – pessoas aprendendo a ganhar o próprio dinheiro e a se tornar autossuficientes. Foi nisso que ele inicialmente se concentrou ao estudar pessoas de sucesso. Ele por certo gostava de coisas materiais – a propriedade, o Rolls-Royce –, mas, à medida que amadureceu, ele mudou. Ele reconheceu que o dinheiro era maravilhoso e servia a bons propósitos, mas a felicidade era mais importante. Obtemos felicidade fazendo coisas de que gostamos, como resultado do que estamos fazendo, não como um objetivo em si.

Originalmente, esse livro se intitulava *Sucesso e algo maior*, e esse era o título anunciado, mas a editora achava que *Como enriquecer com paz de espírito* era a principal lição: sim, tive sucesso, ganhei o dinheiro, mas o que posso fazer para que me traga paz de espírito? Como Hill explica, isso está melhorando a vida das pessoas e ajudando causas nobres.

Hill mudou seu ponto de vista sobre o dinheiro como a única coisa que importa. Talvez isso seja verdade quando você não tem nenhum, mas dinheiro sozinho não traz felicidade. Podemos usar o dinheiro como ferramenta ou como empecilho. Somos capazes de ajudar outras pessoas; podemos fazer a diferença no mundo, em vez de apenas gastar, gastar, gastar, porque a felicidade material não dura muito. Você deve chegar a um ponto em sua vida em que percebe que comprar um carro novo é apenas uma questão de transporte, mas que pode comprar um livro simples e dá-lo a alguém, e isso pode mudar a vida dessa pessoa. Essa é uma definição melhor de felicidade do que um carro novo, ou pelo menos deveria ser. Podemos nos enganar pensando que o dinheiro nos fará felizes. Não vai.

Podemos ter dinheiro ou o dinheiro pode nos ter. Quando o dinheiro está lhe dizendo que tipo de vida levar, você provavelmente vai se sentir infeliz, porque tudo em que vai pensar é em ganhar mais ou perder o que já tem.

Acho que Hill fez um ótimo trabalho de amadurecimento. Ele poderia ter feito isso muito mais rápido, mas, considerando seu passado, a Grande Depressão, a Segunda Guerra Mundial e assim por diante, o principal é que ele chegou lá. Ele nos deixou algo para ler e nos ajudar a entender do que se trata, para nos oferecer uma perspectiva melhor sobre a contribuição que podemos dar. É por isso que ele criou a Fundação Napoleon Hill como uma organização sem fins lucrativos, em vez de comprar um avião ou qualquer outra coisa que pudesse fazer com muito dinheiro.

Hill desejava que seus princípios fossem ensinados em todo o mundo. Essa é a razão para a declaração da missão da fundação de tornar o mundo um lugar melhor para se viver. Mantemos isso em mente constantemente. Se eu puder ajudar a espalhar o material para Israel ou Sri Lanka ou Camboja ou Tailândia, certo número de pessoas ficará inspirado por isso.

Dizemos que oferecemos não apenas material de estudo; também podemos mudar sua vida. Se estudarmos o suficiente e pudermos ensinar outras pessoas, podemos mudar suas vidas. Elas, por sua vez, podem ensinar outros. Acreditamos que "Eu aprendo. Eu ensino para alguém, que aprende a ensinar para alguém, que pode mudar o mundo". Um de nós não pode fazer tudo, e quanto mais gente estiver adotando essas crenças e colocando-as em prática, melhor será para todos nós, porque todos queremos sobreviver. Todos temos os mesmos desejos, embora possamos ter modos diferentes.

É um material extremamente valioso. Influenciou milhões de vidas e ainda continua influenciando. Seus livros são mais populares hoje do que quando ele estava vivo.

Se você quiser resumir a diferença entre *A chave para a prosperidade* e *Como enriquecer com paz de espírito*, acho que ele começou o primeiro livro quando seu pensamento estava mudando. Na época em que publicou *Como enriquecer com paz de espírito* – havia uma diferença de mais de vinte anos entre as datas de publicação –, Hill amadureceu muito mais. Entendeu muito mais. Ele está explicando o que torna uma vida bem equilibrada. Como eu disse, a felicidade não é uma meta. É simplesmente o resultado de algo bom que conquistamos; na verdade, é o resultado de objetivo alcançado.

Em vez de pensar: "Vou ser feliz, vou ser feliz", podemos refletir: "Estas são coisas que quero fazer. Posso fazer a diferença em mim mesmo. Posso fazer a diferença na minha família. Posso fazer a diferença na minha comunidade". Não se trata apenas de nos preocuparmos conosco. Cuidamos de nós mesmos, mas expandimos isso para fazer uma diferença positiva na vida de outras pessoas.

Não me julgue por quanto dinheiro eu tenho, por quantas ações ou quantos imóveis possuo. Meça o que conquistei na vida por meio de meus filhos. Se eu deixar uma grande herança de milhões de dólares e meus filhos forem drogados, se casarem três vezes e tiverem problemas com a lei, em algum lugar ao longo da linha eu fracassei. Tenho que assumir a responsabilidade por isso.

O que fazemos deve continuar por meio de nossos filhos, porque eles começaram melhor e têm mais conhecimento e mais oportunidades do que nós tivemos. Para mim, como isso continua é extremamente importante, porque você não pode se sentir feliz com uma carteira de ações de US$ 10 milhões quando tem um filho na prisão ou uma filha nas ruas.

Seus resultados estão nas pessoas sobre as quais você teve efeito, seja positivo, seja negativo. Esperamos que seja positivo. O locutor esportivo Charles Barkley, que foi jogador profissional de basquete, disse certa vez: "As crianças não deveriam crescer tendo um astro do esporte como herói. Qualquer um pode enterrar uma bola de basquete na cesta" – claro, ele está se incluindo nisso. "O que eles precisam é de pais que considerem heróis."

É claro que nossos egos podem se intrometer e podemos exagerar ao fazer muito por nossos filhos, mas podemos tentar propiciar um crescimento saudável. Minha filha pode admirar o que seu pai realizou e o que tentei fazer da minha vida. Quando seus filhos o admiram desse ponto de vista, você pensa: "Talvez eu esteja fazendo algo certo". Não quero dizer que dei a ela tudo o que ela queria; eu queria que minha filha aprendesse a fazer algumas das coisas que eu fazia bem e evitar algumas das coisas que fiz que não foram tão boas. Como disse

Confúcio: "Dê um peixe a um homem e ele comerá por um dia; ensine-o a pescar e você o alimentará para o resto da vida". Vejo os bens materiais da mesma maneira. Não deve ser nossa responsabilidade pensar que devemos deixar tantos milhões de dólares para nossos filhos ou mimá-los com bens materiais quando estiverem crescendo.

Lembro-me de uma garota que tinha uma família com boas condições financeiras. No colégio, ela dirigia um BMW conversível e andava com um grande diamante no pescoço.

"Rapaz, sinto pena do cara com quem ela se casou."

As pessoas perguntavam: "O que você quer dizer?".

"A antecipação é boa parte da vida. Se ela se casar com um garoto e ele lhe trouxer flores, ela vai dizer: 'Seu idiota. Eu tenho um BMW. Veja as joias que eu tinha quando me casei'. Vai ser difícil agradar-lhe."

Acredito que eu estava certo. Acho que ela se casou e se divorciou três vezes, porque boa parte da vida é antecipação.

Quando vamos para a cama, acordamos, antecipamos o que vamos fazer e nos sentimos bem com isso, aí não é trabalho. Ao virar trabalho, talvez devamos encontrar outra coisa para fazer, porque ninguém deve ser forçado a fazer algo que o deixe infeliz. Devíamos fazer coisas que levam à felicidade, em vez de tentar buscar a felicidade diretamente.

Espero que as mensagens neste livro inspirem alguém. Mesmo que seja apenas uma pessoa, para mim já vai ter valido a pena. Pensar que podemos ter feito a diferença na vida de alguém, para mim, é felicidade, e, quando as pessoas não a têm, realmente sinto empatia por elas.

Acho que as pessoas podem encontrar a felicidade se encontrarem algo pelo qual se apaixonem e que também faça diferença na vida de outra pessoa – seja curar o câncer, seja limpar a vizinhança.

Há tantas coisas pelas quais você pode sentir paixão, e o resultado será felicidade, garanto-lhe. Você deve ter a sensação de "Fiz um pouco de diferença". Acho que é isso que nos traz felicidade.

As crenças espirituais de Napoleon Hill

Quanto às crenças religiosas de Hill, acho que eram universalistas. Seu pai foi um dos fundadores da igrejinha que frequentava; na verdade, ainda está de pé. Meus sogros pertenciam a essa mesma igreja. Ainda hoje não usam instrumentos musicais, mas são ótimos oradores; eles são bem dramáticos. Acho que ele tirou muitas de suas habilidades oratórias de lá.

Hill tinha um senso universal de tolerância. Ele queria viver para ver o dia em que as pessoas não fossem conhecidas como gentios ou judeus, pela religião ou pela cor da pele. Queria alcançar a todos.

Aos domingos, gostava de dirigir com a esposa ao lado e ouvir o Coro do Tabernáculo Mórmon. O fato é que fez alguns trabalhos com a igreja mórmon na década de 1930. A certa altura, ele mencionou que o presidente da igreja dissera que, daquele dia em diante, nenhum mórmon estaria sob o bem-estar público. Mesmo que Hill não fosse mórmon, admirava isso neles: cuidavam uns dos outros, não confiavam no governo, se tornavam mais autossuficientes e ajudavam uns aos outros se necessário.

Gandhi era um dos homens que Hill mais admirava. Embora não fossem da fé tradicional, seus livros obviamente agradam a todos. Ele deixou claro que todos temos sistemas de crenças diferentes, mesmo no que diz respeito à resolução de problemas. Isso não significa que uma forma seja necessariamente melhor do que outra.

Se você e eu formos almoçar, podemos pegar as estradas vicinais ou a interestadual; existem muitas rotas diferentes para chegar lá.

Qual é a melhor? Bem, uma me leva lá mais rápido. A outra é mais cênica. Muitas vezes, quando minha esposa e eu viajávamos, saíamos da interestadual e viajávamos pelas estradas secundárias, porque na interestadual você vê muitos caminhões, mas não muito mais que isso. Nas estradas menores, víamos pequenos lugares antigos ou algumas outras atrações nas quais valia a pena parar. O principal é que temos escolha.

CAPÍTULO 8

CONCLUSÃO

Alguns de vocês podem estar interessados em saber um pouco mais sobre a Fundação Napoleon Hill. Estamos no *campus* da Universidade da Virgínia em Wise – um belo *campus*. O colégio tem sido uma bênção para muitos. Acho que 85% dos alunos hoje ainda precisam de ajuda financeira, porque a maioria deles, como eu, está na primeira geração de sua família que foi para a faculdade.

A educação é uma ponte para levar essas crianças aonde elas querem ir. A falta de educação é a causa número um da pobreza. A pobreza é causada principalmente por mulheres solteiras, com filhos, que vivem sem apoio adequado. Elas não são enfermeiras, não são professoras; não têm uma profissão que pague dinheiro suficiente para cuidar adequadamente de seus filhos. É por isso que muitos deles acabam em problemas: eles não têm uma vida doméstica estável, porque é aí que tudo começa: aprendemos com nossos pais, bons ou ruins.

Ao mesmo tempo, podemos educar a todos. Se um aluno se torna educado, é bastante seguro que seus filhos também adquiram essas qualidades. A pobreza gera pobreza. É uma questão de quebrar esse ciclo. Na maioria das vezes, você pode presumir que, se uma pessoa foi para a faculdade, é mais provável que seus filhos também o façam.

Pessoalmente, tento inspirar os alunos. Adoro quando é um por vez, porque sinto que, se eles se sentarem e me ouvirem, talvez eu possa inspirá-los um pouco para começar. Só temos o hoje: não podemos desfazer o ontem, e o amanhã pode nunca chegar. Quanto mais cedo eles começarem, melhor para eles, e tento ensinar-lhes a dizer a si mesmos: "É isso que vou realizar". Assim que eles começarem a desenvolver a crença e a confiança de que podem realizar seus objetivos, podemos fazer sugestões para ajudá-los. Você não pode obrigá-los a fazer isso; tem que falar com eles e fazê-los ver dando exemplos. Damos exemplos de pessoas que aprendem com a derrota e superam adversidades, seja uma pessoa sem a visão, seja alguém que nasceu sem audição. Não importa quais sejam as circunstâncias, eles podem fazer a diferença.

Tudo começa internamente; começa com a maneira como pensam, porque o processo todo começa com ação. Como vimos, tudo inicia com o processo de pensamento. Na verdade, temos que fazer mais do que pensar; temos que planejar. Os planos podem não ser perfeitos, mas podemos aprender com outras pessoas. Se o plano não funcionar, você falhou na primeira vez, mas isso não significa que desistiu; significa que você tem a chance de começar de novo. É possível entender isso como uma lição, ou então dizer: "Desisto. Não vou mais tentar".

Acho que é uma questão de quanto você quer o que deseja. As coisas podem não sair exatamente como você quer, mas isso não significa que você não vá fazer de novo. Se minha esposa está fazendo um bolo e um deles cai no chão ou fica com uma cara esquisita, ela não diz: "Nunca mais vou fazer outro bolo". Ela pode determinar que o forno estava muito quente ou não quente o suficiente, ou que colocou muita ou pouca água. Por experimentação e tentativa, ela melhora a cada vez e pode usar o que aprendeu no passado para fazer de novo ou para evitar fazer o que deu errado, até que fique melhor a cada vez.

Como alunos, aprendemos. Devemos obter *feedback*; devemos aprender com o que funcionou e o que não funcionou, mas também podemos estudar. Não vivemos o suficiente para cometer todos os erros. É por isso que lemos livros sobre pessoas que superaram adversidades e coisas que deram errado em suas vidas, até mesmo de jovens que herdaram muito dinheiro e levaram uma vida desastrosa. Nunca saberemos todas as respostas, mas aprender é um processo que dura a vida toda.

Quanto mais você envelhece, mais percebe o que não sabe. Para mim, é um mundo absolutamente maravilhoso. Você pode se concentrar nos aspectos negativos: pessoas fazendo coisas horríveis, cometendo crimes – pois essas coisas são as que recebem destaque nos jornais. Ou pode se concentrar nos aspectos positivos, pois também existem milhares e milhares de pessoas fazendo o bem, embora isso não saia nos jornais. No entanto, essas pessoas ficam felizes em saber que fizeram a diferença na vida de uma comunidade ou de uma única pessoa que seja.

Nunca vamos desistir porque algumas pessoas se extraviam ou cometem erros. Não dizemos: "Bem, não adianta tentar". Você vai ensinar algumas crianças que mesmo assim vão acabar nas drogas –

o que não significa que você vai abandonar todos os jovens que estão por aí. Afinal, não ouvimos muito sobre aqueles que fazem o bem; ouvimos sobre aqueles que se perdem ao longo do caminho.

Nunca teremos 100% de eficiência, mas o cara que acerta três em dez – 30% – conquistará campeonatos. Outro cara rebate duas a cada dez – aproveitamento de 20%. Não parece muita diferença, mas o segundo cara não vai a lugar nenhum. Ele terá que permanecer nas ligas menores e então sair e conseguir emprego fazendo outra coisa. Como disse Hill, as pequenas diferenças são grandes, especialmente quando aplicadas ao longo do tempo.

Recursos

Concluindo, deixe-me falar sobre alguns recursos. Se quiser saber mais sobre nosso curso de certificação para ensinar nossos métodos, se quiser comprar alguns dos livros que mencionei aqui, ou se quiser se inscrever em nosso boletim informativo semanal gratuito, visite nosso site: naphill.org.

Também temos o Pensamento do Dia, e recebemos um número inacreditável de elogios sobre ele. Fazemos isso há muitos anos. Enviamos um boletim informativo todas as sextas-feiras; você se inscreve, e é gratuito.

Claro, listamos nossos livros, listamos livros que serão publicados e destacamos alguns outros. Você pode simplesmente clicar no título do livro, e o *link* o levará para a Amazon. Quando você compra um livro, ele contém os direitos autorais da Fundação Napoleon Hill. Você saberá que o dinheiro obtido dos livros vai para uma causa que vale a pena, porque fazemos muitas coisas que não têm retorno em dinheiro.

Por exemplo, provavelmente somos um dos principais fornecedores de material para as prisões. Quase todos os dias, recebemos cartas de pessoas na prisão. Eles leram *Quem pensa enriquece* ou outro livro e querem adquirir um.

Havia um garoto preso por assassinato. Mandei livros para ele provavelmente durante quinze anos. Ele obteve um diploma de bacharelado e MBA enquanto estava na prisão. Escrevi uma carta para o conselho de liberdade condicional em seu nome. Ele foi liberado e hoje trabalha.

Temos todos os tipos de histórias. Uma delas é a de Bill Sands, que escreveu um livro chamado *My Shadow Ran Fast* (Minha sombra correu rápido). Ele era um jovem de vinte e poucos anos. Seu pai era juiz federal, e sua mãe, *socialite*. Embora fosse filho único, eles nunca o viram jogar na liga infantil; estavam sempre muito ocupados com as próprias vidas. Bill pensou: "Quem se importa comigo?". Então juntou-se com a turma errada. Embora nunca tenha matado ninguém, recebeu uma longa sentença de prisão em San Quentin. Ele leu nossos livros, e eles mudaram sua vida. Bill conseguiu liberdade condicional e fez mais de três mil discursos para alunos do ensino médio, alertando-os sobre os efeitos das drogas. Ele já esteve envolvido em vários problemas, mas se endireitou na vida e fez muitas coisas boas.

Nunca desista de ninguém. Enquanto elas estão respirando, sempre há uma esperança de que possam mudar. A maioria dessas pessoas quer, e elas podem ver onde erraram. Se o fizerem, são exemplos tremendos para outras pessoas: "Foi isso que me causou problemas, e foi isso que fiz para sair deles".

Meu legado

Se alguém me perguntasse como gostaria de ser lembrado, eu diria que é por tentar ajudar outras pessoas, os menos afortunados. Considero-me extremamente sortudo por ter essa oportunidade. Há 350 milhões de pessoas neste país, e sou CEO da Fundação Napoleon Hill? Provavelmente não mereço.

Sou abençoado além da medida pelo que tive na vida. Quando frequentava a escola, não tinha um Corvette. Meu primeiro veículo foi um Ford 36, mas paguei com meu próprio dinheiro, e fiquei tão feliz com ele como se tivesse ganhado um Cadillac conversível, porque eu o conquistei.

Espero ser lembrado pelo que fiz pelos outros.

Prefiro que as crianças se levantem e vão para a escola sabendo que alguém disse: "Vai ser muito melhor", a que as pessoas digam que sou presidente de banco ou se perguntem quantas ações possuo. Saber que você fez a diferença na vida de outra pessoa vale um milhão de vezes mais do que qualquer bem material. O dinheiro era simplesmente um produto do que eu estava fazendo e que adoro fazer.

Não quero me gabar, mas também sou presidente do Conselho da Fundação, que é o braço da faculdade para arrecadar dinheiro.

Recentemente, o *U.S. News & World Report* disse que nossos alunos tinham se formado com a segunda menor carga de dívida de qualquer faculdade de quatro anos nos Estados Unidos. Uma grande realização, porque somos uma pequena faculdade com dois mil alunos.

De qualquer forma, há prazer em tentar fazer a diferença na vida de outra pessoa. Como um mentor meu disse certa vez: "As pessoas enviam dinheiro para onde está seu coração". E Winston Churchill nos ensinou: "Ganhamos a vida com o que ganhamos;

vivemos pelo que doamos". É bom ter coisas que nos fazem felizes, mas fazer a diferença na vida de outra pessoa, seja ela uma grande diferença, seja ela pequena, para mim é a maior satisfação de todas.

CAPÍTULO 9

CITAÇÕES FAVORITAS DE NAPOLEON HILL

Qualquer propósito definido que é deliberadamente fixado na mente e mantido lá, com a determinação de realizá-lo, como resultado satura toda a mente subconsciente até que de modo automático influencia a ação física do corpo para a realização desse propósito.

* * *

Essa mente subconsciente pode ser comparada a um ímã e, quando for vitalizada e saturada por completo, com qualquer propósito definido, terá uma tendência decidida a atrair tudo o que é necessário para o cumprimento desse propósito.

* * *

O desenvolvimento da autoconfiança começa com a eliminação desse demônio chamado medo, que se senta no ombro de um homem e sussurra em seu ouvido: "Você não pode fazer isso. Você tem medo de tentar. Você tem medo da opinião pública. Você tem medo de falhar. Você tem medo de não ter a habilidade".

* * *

A mente humana... pode ser comparada a uma bateria elétrica; pode ser positiva ou negativa. A autoconfiança é a qualidade com a qual a mente é recarregada e tornada positiva.

* * *

Sucesso é o conhecimento com o qual alguém pode obter tudo de que precisa, sem violar os direitos de seus semelhantes ou comprometer a própria consciência.

* * *

A lei da atração harmoniosa traduz todos os pensamentos em materiais semelhantes. Essa grande verdade explica por que a maioria das pessoas experimenta infelicidade e pobreza ao longo da vida. Elas permitem que suas mentes temam a infelicidade e a pobreza, e seus pensamentos dominantes estão voltados para essas circunstâncias. A lei da atração harmoniosa assume e traz o que elas esperam.

* * *

Quando você presta o melhor serviço de que é capaz, esforçando-se toda vez para superar todos os seus esforços anteriores, está fazendo uso da mais alta forma de educação. Portanto, quando presta mais serviço e melhor serviço do que aquele pelo qual é pago, você está lucrando com o esforço mais do que qualquer outra pessoa.

* * *

Existe um grande poder de atração por trás da pessoa que tem caráter positivo, e esse poder se expressa por meio de fontes tanto invisíveis quanto visíveis. No momento em que você chega perto de falar de tal pessoa, mesmo que nenhuma palavra seja dita, a influência do poder invisível interior se faz sentir.

* * *

Existe uma diferença entre desejar uma coisa e estar pronto para recebê-la. Ninguém está pronto para uma coisa até que acredite que pode adquiri-la.

* * *

O estado de espírito deve ser crença, não mera esperança ou desejo.

* * *

A mente aberta é essencial para a crença. Mentes fechadas não inspiram fé, coragem e crença.

* * *

Todos os pensamentos em que se colocou emoção, sentimento, e que foram misturados com fé, começam imediatamente a se traduzir em seu equivalente físico ou semelhante.

Don Green com um retrato de seu mentor, Napoleon Hill.

POSFÁCIO

Os dois discursos a seguir são reimpressos por cortesia de Sound Wisdom, do livro *Napoleon Hill's Greatest Speeches* [Os melhores discursos de Napoleon Hill]. Eles são dos arquivos da empresa e nunca foram publicados anteriormente. Também estou incluindo o prefácio do Dr. J. B. Hill desse título.

O primeiro é "O fim do arco-íris: discurso de formatura em 1922 no Salem College". É muito histórico, pois inspirou Hill a escrever *Quem pensa enriquece: Edição oficial e original de 1937*. É precedido pela introdução original de Don Green.

O outro discurso é "Os cinco fundamentos do sucesso: sermão do bacharelado de 1957 no Salem College". A introdução desse discurso foi escrita por Don Green e pelo Dr. J. B. Hill.

PREFÁCIO AOS MAIORES DISCURSOS DE NAPOLEON HILL

POR DR. J. B. HILL

Napoleon Hill raramente usava mais do que uma única página de notas para fazer seus discursos. Embora muitas dessas notas ainda existam, pouco do que ele realmente disse sobreviveu. Levei muitos anos para localizar um discurso impresso do meu avô. Encontrar um foi mais do que estimulante para mim; foi milagroso.

O documento que encontrei era uma transcrição de um discurso de formatura feito por Napoleon no Salem College (agora Universidade Internacional de Salem), em 1922. Ele havia sido publicado em um jornal local com o título "O fim do arco-íris". Uma cópia foi preservada em microfilme nos arquivos do Salem College. Quando impresso, precisava ser ampliado para ser lido, e o texto estava tão desbotado que levei mais de um dia para recuperá-lo, o que fiz ao ditar uma palavra de cada vez para minha esposa.

Napoleon escreveu muitas vezes que a adversidade deve ser vista como uma bênção disfarçada. No discurso de formatura de 1922, ele mostra como seus muitos fracassos de negócios foram, na verdade, pontos de inflexão que o levaram a oportunidades maiores. Cada falha foi, portanto, uma bênção.

Ele atribui seu sucesso após o fracasso ao hábito de prestar mais e melhores serviços do que aqueles pelos quais estava sendo pago. Esse traço foi o precursor de dois de seus princípios de sucesso: *Learning from Adversity and Defeat* [Aprender com as adversidades e derrotas] e *Going the Extra Mile* [Ir além].

Napoleon fez o discurso de 1922 em Salem, na Virgínia Ocidental, não muito longe da casa da família de sua esposa, Florence, em Lumberport. Embora ele fosse o editor da *Napoleon Hill's Magazine* na época e um sucesso em todos os aspectos, tinha muito a provar para a família. Dez falências de negócios em uma dúzia de anos azedaram as atitudes dos familiares em relação a ele. Então, o discurso de formatura foi a oportunidade de Napoleon ser aplaudido diante dos amigos e parentes de sua esposa, e nisso ele teve sucesso. Seu ritmo de elocução foi hipnotizante para o público. Ele usou sua história pessoal de fracassos para demonstrar como fora capaz de superar as adversidades. O discurso foi considerado o maior já proferido naquela parte do estado. Quando terminou, em meio a aplausos retumbantes, Napoleon se apresentou diante da família, redimido.

Enviei uma cópia do discurso para Don Green, que é diretor-executivo da Fundação Napoleon Hill. Don percebeu imediatamente o potencial de um livro e começou a pesquisar os arquivos da fundação em busca de materiais adicionais. Ao longo de vários anos, ele descobriu mais alguns discursos e vários artigos que compilou para essa obra.

Um dos artigos, "Este mundo em mudança", foi descoberto atrás do suporte da lareira na casa da infância de Napoleon. Foi escrito durante a Grande Depressão, provavelmente perto do final de 1930.

Quando a Grande Depressão começou, Napoleon estava morando com a família, que lhe proporcionou um emprego seguro. No entanto, para ele, sua aceitação dessa segurança significava que ele havia falhado. Então, em março de 1931, Hill fez exatamente o que precisava fazer – e talvez exatamente o que não deveria ter feito: largou o emprego e foi para Washington, D.C.

Nessa época, a lista de empreendimentos fracassados de Napoleon era impressionante. Sua decisão de tentar mais uma vez ter sucesso por conta própria deve ter sido baseada na fé – ele certamente não tinha muito mais de outra coisa. O artigo recuperado de trás do manto fornece uma compreensão dessa fé e uma visão sobre por que Napoleon mais tarde deixou a família e a segurança para ir a Washington, D.C., durante uma depressão econômica mundial. "Este mundo em mudança" responde a muitas perguntas persistentes sobre as visões espirituais de Napoleon.

Don também localizou duas cópias de um dos primeiros discursos de Napoleon, "O que aprendi com a análise de dez mil pessoas". Um estava armazenado nos arquivos da Fundação Napoleon Hill, e o outro fora publicado na edição de fevereiro de 1918 da *Modern Methods*. Napoleon escreveu o discurso enquanto servia como reitor do George Washington Institute of Advertising (agora Bryant & Stratton Business College de Chicago), onde mais tarde se tornou presidente e diretor do Departamento de Publicidade e Vendas.

Nesse discurso, Napoleon fala sobre os cinco "requisitos" para o sucesso: autoconfiança, entusiasmo, concentração, um plano de trabalho e o hábito de prestar mais e melhores serviços do que aqueles pelos quais se é pago. Ele revela o pensamento inicial de Napoleon sobre três dos que se tornariam alguns de seus princípios de sucesso: "entusiasmo", "atenção controlada" e "ir além". Mais tarde, ele agrupou o requisito de "autoconfiança" sob o título de Entusiasmo, e "um plano de trabalho" tornou-se parte do processo de alcançar um Propósito Principal Definido. Embora Napoleon entendesse a importância da ideia de "MasterMind" de Andrew Carnegie, ele não a mencionou nesse discurso. Suspeito que não era pertinente para um público de vendedores que tendem a ter caminhos individuais para o sucesso.

No final de 1952, Napoleon deixou a esposa, Annie Lou, na Califórnia por um ano, enquanto trabalhava com W. Clement Stone em vários projetos. Por vários meses, ele e Stone viajaram juntos no circuito de palestras, com Stone frequentemente apresentando Napoleon como orador principal.

Don descobriu uma gravação de uma dessas palestras, intitulada "Criador de homens milagrosos", e a transcreveu para este livro. É talvez a mais interessante de suas descobertas, porque retrata fielmente Napoleon de modo extemporâneo. A sagacidade de Napoleon e a oratória fascinante são palpáveis na prosa.

Em meados da década de 1950, Napoleon era conhecido nacionalmente como orador. Suas palestras se espalharam pelo rádio e pela televisão, e a Pacific International University lhe concedeu um título de doutor honorário em literatura. Em 1957, o Salem College o convidou a voltar para dar um sermão de bacharelado e receber um segundo doutorado honorário.

A essa altura, as ideias de Napoleon sobre o sucesso amadureceram até se transformarem em princípios concretos. Em vez de palestrar sobre os cinco requisitos para o sucesso, ele aborda, em seu sermão de bacharelado intitulado “Os cinco fundamentos do sucesso”, os cinco *princípios* mais importantes do sucesso. Assim como no discurso de formatura de 1922, também foi aplaudido de maneira calorosa pelo público.

É interessante notar que, após 35 anos de pensamento, apenas *Going the Extra Mile* (Ir além), entre os cinco requisitos originais de 1922 para o sucesso, permaneceu essencial na mente de Napoleon. Os outros requisitos foram substituídos por quatro princípios essenciais: MasterMind, Definição de propósito, Autodisciplina e Fé aplicada.

Embora cada um dos discursos e artigos dessa coleção seja independente, juntos eles mostram como as ideias de Napoleon evoluíram conforme seu pensamento amadureceu e se fundiu em uma filosofia abrangente de sucesso. O material agregado realmente tem um significado maior do que suas partes.

Em 1922, Napoleon Hill foi convidado a dar o discurso de formatura no Salem College, em Salem, na Virgínia Ocidental. A escola foi fundada em 1888 como faculdade de artes liberais, formação de professores e enfermagem. Intitulado "O fim do arco-íris", o discurso de formatura foi o mais influente que Hill já fez.

Quando Hill o proferiu, em 1922, tinha 39 anos e um longo tempo de experiência escrevendo e falando, mas ainda estava vários anos longe de publicar o primeiro livro. Ele estava apaixonadamente focado em seus discursos e palestrou em qualquer lugar que pudesse ter audiência. À medida que Hill se tornou mais conhecido, especialmente depois que teve livros publicados, suas palestras foram muito procuradas. Nos arquivos da Fundação Napoleon Hill, estão registrados os dados de 89 discursos que ele proferiu em todo o país – tudo em apenas um ano.

O discurso de 1922, que Hill fez no Salem College, inspirou uma carta que ele recebeu anos depois de um membro do Congresso, Jennings Randolph. Hill deveria mencionar essa carta (disponível para leitura no apêndice deste livro) na introdução de seu livro de 1937, Quem pensa enriquece, *e imprimir a carta inspiradora de Randolph. Randolph ganhou cadeira no Congresso em 1932, mesmo ano em que Franklin D. Roosevelt foi eleito presidente dos Estados Unidos.*

Randolph apresentou Hill a Roosevelt, e Hill tornou--se conselheiro não remunerado do presidente durante a Grande Depressão. A correspondência escrita da Casa Branca está nos arquivos da Fundação Napoleon Hill.

Randolph mais tarde se tornaria senador dos Estados Unidos e curador da Fundação Napoleon Hill. Ele morreu em 1998 e foi o último membro do Congresso a servir no início da administração Franklin D. Roosevelt.

A recuperação do relato do discurso no jornal é resultado do trabalho diligente do Dr. J. B. Hill, neto de Napoleon Hill, que conseguiu obter o discurso do microfilme, e da esposa do Dr. J. B. Hill, Nancy, que o redigitou. O discurso é o seguinte.

– Don Green

O FIM DO ARCO-ÍRIS

POR NAPOLEON HILL

Discurso de formatura de 1922 do Salem College

Existe uma lenda, tão antiga quanto a raça humana, que nos diz que um pote de ouro pode ser encontrado no final de um arco-íris. Esse conto de fadas, que domina a imaginação infantil, pode ter algo a ver com a tendência atual da raça humana de procurar a maneira mais fácil de encontrar riquezas. Por quase vinte anos, busquei o fim do meu arco-íris com o intuito de reivindicar aquele pote de ouro. Minha luta em busca do fim do arco-íris evasivo era incessante. Ele me carregou montanha acima do fracasso e pelas encostas do desespero, atraindo-me continuamente em busca do pote-fantasma de ouro.

Certa noite, eu estava sentado diante de uma fogueira, discutindo com pessoas mais velhas a questão da inquietação por parte dos trabalhadores. O movimento sindical havia apenas começado a se fazer sentir naquela parte do país onde eu morava, e as táticas usadas pelos organizadores trabalhistas me impressionaram por serem muito revolucionárias e obstrutivas para obter sucesso permanente. Um dos homens que estava sentado diante da lareira comigo fez um comentário que provou ser um dos melhores conselhos que já segui. Ele estendeu a mão e agarrou-me com firmeza pelos ombros, olhou-me diretamente nos olhos e disse: "Ora, você é um menino inteligente e, se se educar, deixará sua marca neste mundo".[2]

O primeiro resultado concreto dessa observação me levou a me matricular em uma faculdade de administração local, um passo que sou obrigado a admitir que provou ser um dos mais úteis que já tomei, porque tive o primeiro vislumbre, na faculdade de administração, do que se pode chamar de senso justo de proporções.[3] Depois de concluir a faculdade, obtive uma posição como estenógrafo e escriturário e trabalhei nessa posição por vários anos.[4]

Como resultado dessa ideia de prestar mais serviços e melhores serviços do que aqueles pelos quais era pago, que havia aprendido na faculdade de administração, progredi rapidamente e sempre consegui ocupar cargos de responsabilidade muito cedo, com salário proporcional.

---

2. Isso deve ter sido em 1902, quando Hill tinha cerca de dezenove anos. Aparentemente, ele trabalhou por pouco tempo como minerador de carvão antes de entrar na faculdade de administração.

3. A ideia de realizar mais serviços e melhores serviços do que aqueles pelos quais era pago posteriormente se tornou o princípio *Going the Extra Mile*.

4. Isso foi durante o tempo em que Hill trabalhava para Rufus Ayers.

Economizei dinheiro, e logo tinha uma conta bancária no valor de vários milhares de dólares. Estava avançando rapidamente em direção ao fim do meu arco-íris.

Minha reputação se espalhou bem rápido, e encontrei licitantes competitivos para meus serviços. Eu era procurado não por causa do que sabia, que era pouco, mas por causa da minha disposição de fazer o melhor uso do pouco que eu sabia. Esse espírito de boa vontade provou ser o princípio mais poderoso e estratégico que já aprendi.[5]

As marés do destino me levaram para o sul, e me tornei gerente de vendas de uma grande empresa de fabricação de madeira serrada. Não sabia nada sobre madeira serrada e nada sobre gerenciamento de vendas, mas havia aprendido que era bom prestar mais serviço, e melhor serviço, do que aquele pelo qual era pago; com esse princípio como o espírito dominante, realizei o trabalho determinado a descobrir tudo o que pudesse sobre a venda de madeira serrada.

Eu podia me ver crescendo cada vez mais perto do fim do arco-íris. Dinheiro e sucesso fluíram para mim de todas as direções, todos fixando minha atenção firmemente no pote de ouro que eu podia ver bem à minha frente. Até então, não me ocorreu que o sucesso pudesse consistir em qualquer coisa, exceto ouro!

A mão invisível

A "mão invisível" me permitiu desfilar sob a influência de minha vaidade até que comecei a sentir minha importância. À luz de anos mais sóbrios e de uma interpretação mais precisa dos even-

5. Hill aparentemente está fazendo uma referência implícita à importância de uma disposição para agir.

tos humanos, agora me pergunto se a "mão invisível" não permite propositalmente que nós, seres humanos tolos, desfilemos diante de nosso próprio espelho de vaidade até que vejamos como somos vulgares e paremos com isso.

De qualquer forma, eu parecia ter um caminho livre à frente; tinha carvão no *bunker*, água no tanque, minha mão estava no acelerador, e acelerei bastante. O destino estava me esperando na curva com um porrete de pelúcia, e não era recheado com algodão. Não vi a queda iminente até que ela veio.

Como um raio no céu azul-claro, um colapso econômico e um pânico se abateram sobre mim. Da noite para o dia, ele varreu cada dólar que eu tinha. O homem com quem eu negociava se retirou, em pânico, mas sem perdas, e me deixou com nada além da casca vazia de uma empresa que não possuía nada, exceto uma boa reputação. Eu poderia ter comprado US$ 100 mil em madeira com essa reputação.

Um advogado desonesto viu uma chance de lucrar com essa reputação e com o que sobrou da madeireira em minhas mãos. Ele e um grupo de outros homens compraram a empresa e continuaram a operá-la. Fiquei sabendo mais tarde que eles compraram cada dólar que conseguiram em madeira, revenderam e embolsaram o lucro sem pagar por isso. Assim, fui o meio inocente de ajudá-los a fraudar seus credores, que souberam, quando era tarde demais, que eu não tinha qualquer vínculo com a empresa.

Foi o colapso econômico e fracasso que me levou a me desviar e redirecionar esforços do negócio madeireiro para o estudo do direito. Nada naTerra, exceto o fracasso, ou o que então chamei de fracasso, poderia ter causado esse resultado. Assim, um ponto de virada da minha vida foi conduzido nas asas do fracasso. Há uma grande lição em cada falha, quer saibamos o que é ou não.[6]

Quando entrei na faculdade de direito, acreditava de verdade que sairia duplamente preparado para alcançar o fim do arco-íris e reivindicar meu pote de ouro. Ainda não tinha nenhuma aspiração maior do que acumular dinheiro; no entanto, aquilo que eu mais adorava parecia ser a coisa mais evasiva da Terra, pois estava sempre me escapando, sempre à vista, mas sempre fora de alcance.

Frequentava a faculdade de direito à noite e trabalhava como vendedor de automóveis durante o dia. Minha experiência em vendas no negócio de madeira foi transformada em uma boa vantagem. Prosperei rapidamente, indo tão bem pelo hábito de prestar mais e melhores serviços do que aquilo pelo que era pago; logo surgiu a oportunidade de abrir uma escola para treinar mecânicos comuns em montagem e reparos automotivos. Essa escola prosperou até que me pagou um grande salário mensal. Mais uma vez, tive o fim do arco-íris à vista. Mais uma vez, soube que havia finalmente encontrado meu nicho no mundo do trabalho. Mais uma vez, sabia que nada poderia me desviar do meu curso ou fazer com que eu desviasse minha atenção.

Meu banqueiro me viu prosperando. Deu-me crédito pela expansão. Incentivou-me a investir em linhas externas de negócios. Ele me pareceu um dos melhores homens do mundo. Emprestou-me milhares de dólares só com minha assinatura, sem garantias.

Meu banqueiro me emprestou dinheiro até que eu estava desesperadamente em dívida com ele, e então ele assumiu meu negócio. Tudo aconteceu tão de repente que me surpreendeu. Não pensei que tal coisa fosse possível. Veja, eu ainda tinha muito que aprender

6. Isso mostra o pensamento inicial de Hill sobre os efeitos positivos do fracasso.

sobre os costumes dos homens, especialmente o tipo de homem que infelizmente meu banqueiro acabou sendo – um tipo que, fazendo justiça aos negócios bancários, devo dizer que é raro.

Essa falha foi uma das maiores bênçãos que já me foram concedidas.

De um homem de negócios que ganhava uma boa renda, dono de meia dúzia de automóveis e muitas outras tralhas de que eu não precisava, fui reduzido à pobreza. O fim do arco-íris desapareceu, e muitos anos depois aprendi que esse fracasso foi uma das maiores bênçãos que já me foram concedidas, porque me forçou a sair de um negócio que de forma alguma me ajudou a desenvolver o lado humano e desviou meus esforços em um canal que me trouxe uma experiência de que eu precisava muito.

Acho que é digno de nota aqui que voltei a Washington, D.C., alguns anos após o evento e, por curiosidade, visitei o antigo banco onde eu uma vez possuía uma linha de crédito, esperando, é claro, encontrá-la ainda em operação. Para minha grande surpresa, descobri que o banco havia falido, e meu antigo banqueiro estava reduzido à penúria e à necessidade. Encontrei-o na rua, praticamente sem um tostão. Com os olhos vermelhos e inchados, ele despertou em mim uma atitude questionadora, e me perguntei, pela primeira vez na vida, se alguém poderia encontrar alguma outra coisa de valor exceto dinheiro no fim do arco-íris.

Porque eu era o marido da minha esposa e sua família tinha influência, consegui uma nomeação como assistente do advogado-chefe de uma empresa familiar. Meu salário era muito desproporcional aos salários que a empresa geralmente pagava aos iniciantes, e ainda mais desproporcional ao que eu valia; mas empurrão é empurrão, e eu estava lá porque estava lá.

Acontece que o que me faltava em capacidade jurídica eu compensava por meio daquele princípio sólido e fundamental que aprendera na faculdade de administração – nomeadamente, prestar mais e melhores serviços do aqueles pelos quais era pago, sempre que possível.

Eu estava mantendo a posição sem qualquer dificuldade. Praticamente tinha cargo para o resto da vida, se quisesse mantê-lo. Um dia, fiz o que meus amigos pessoais e parentes disseram ser algo muito tolo: larguei o emprego abruptamente.

Quando me perguntaram o motivo, dei o que me pareceu muito válido, contudo tive dificuldade de convencer o círculo familiar de que agira com sabedoria, e ainda mais dificuldade de convencer alguns de meus amigos de que estava mentalmente são. Larguei aquele emprego porque achei o trabalho muito fácil, exigia pouquíssimo esforço, e me peguei à deriva.[7]

Essa mudança provou ser uma virada importante na vida, embora tenha sido seguida por dez anos de esforços que trouxeram quase todas as dores que o coração humano poderia experimentar. Larguei o emprego na área jurídica, na qual estava me dando bem, morando entre amigos e parentes com o que eles acreditavam ser um futuro brilhante e extraordinariamente promissor, e me mudei para Chicago.

Escolhi Chicago por considerar a cidade o lugar mais competitivo do mundo. Senti que, se pudesse ir para Chicago e obter reconhecimento em qualquer linha legítima, provaria a mim mesmo

---

7. Hill sentiu que estar "à deriva" era uma das maiores razões para o fracasso na vida.

que tinha em mim o material que poderia, algum dia, se desenvolver em habilidade real.

Em Chicago, consegui o cargo de gerente de publicidade.[8] Não sabia quase nada sobre publicidade, mas minha experiência anterior como vendedor veio em meu socorro, e meu velho amigo, o hábito de prestar mais serviços do que aqueles por que era pago, me deixou um saldo justo no lado do crédito do livro-razão.

No primeiro ano, floresci. Estava voltando, aos trancos e barrancos. Gradualmente, o arco-íris começou a circular ao meu redor, e vi mais uma vez aquele pote de ouro brilhante quase ao alcance. Acredito ser importante lembrar o fato de que meu padrão de sucesso sempre foi medido em termos de dólares, e o fim do meu arco-íris não prometia nada além de um pote de ouro. Até esse ponto, se havia o pensamento de que qualquer coisa exceto ouro pudesse ser encontrada no final do arco-íris, esse pensamento rapidamente desapareceu. A história está repleta de evidências de que uma festa geralmente precede uma queda. Eu estava tendo meu banquete, mas nunca pensei na queda. Suspeito que ninguém jamais antecipa a queda até que ela chegue, mas virá, a menos que os princípios básicos de orientação sejam sólidos.

Fiz um bom histórico como gerente de publicidade. O presidente da empresa foi atraído pelo meu trabalho e mais tarde ajudou a organizar a Betsy Ross Candy Company, e me tornei seu presidente, iniciando assim a próxima virada mais importante da minha vida – e o prelúdio para outro fracasso.[9]

---

8. O primeiro emprego de Hill em Chicago foi como gerente de publicidade da LaSalle.

9. As receitas de doces foram transmitidas pela mãe de Hill, Sara Blair. A primeira esposa dele, Florence, era especialista em fazer esses doces.

O negócio começou a se expandir, até que tivemos uma rede de lojas em muitas cidades diferentes.[10] Mais uma vez, vi o fim do arco-íris quase ao alcance. Eu sabia que finalmente havia encontrado o negócio no qual gostaria de permanecer por toda a vida, e admito francamente que nosso negócio foi moldado segundo o de outra empresa de doces cujo gerente da região oeste era meu amigo pessoal. Seu sucesso gigantesco foi o principal fator que me levou a entrar no negócio de doces.

Tudo correu bem por um tempo, até que meu sócio e um terceiro homem que mais tarde incluímos na empresa tiveram a ideia de ganhar o controle do negócio sem pagar por isso, um erro que os homens parecem nunca entender que estão cometendo até que seja tarde demais e eles já pagaram o preço de sua insensatez.

O plano funcionou

O plano funcionou, porém recusei mais rigidamente do que eles haviam previsto; assim, para me incitar gentilmente em direção à grande saída, eles me prenderam sob uma falsa acusação e ofereceram um acordo fora do tribunal se eu entregasse minha participação na empresa.

Recusei e insisti para ir a julgamento. Quando chegou a hora do tribunal, ninguém estava presente. Insistimos no andamento do processo e solicitamos ao tribunal que convocasse a parte reclamante e a processasse, o que foi feito.

---

10. Pela biografia de Hill, *Lifetime of Riches*, essas cidades foram Chicago, Baltimore, Indianápolis, Milwaukee e Cleveland.

O juiz, o honorável Arnold Heap, interrompeu o processo e retirou o caso do tribunal antes que fosse muito longe, declarando que aquele era "um dos casos mais flagrantes de tentativa de coerção que já me ocorreu".

Para proteger minha reputação, abri uma ação de US$ 50 mil por danos. O caso foi julgado cinco anos depois, e consegui uma ação pesada no Tribunal Superior de Chicago. O processo foi uma "ação ilícita", o que significa que reivindicou indenização pelo dano difamatório à minha reputação.

Meu julgamento permanece nos autos do Tribunal Superior de Chicago como evidência silenciosa da defesa de meu caráter e como evidência de algo muito mais importante do que a mera reivindicação; a saber, que a "mão invisível" que guia o destino de todos os que buscam sinceramente a verdade eliminou de minha natureza todo desejo por minha fatia do bolo. A execução da sentença contra meus difamadores não foi cobrada, e nunca será!

Pelo menos, nunca cobrarei, porque suspeito que já foi pago muitas vezes com sangue, remorso, arrependimento e fracasso que atingiram aqueles que teriam destruído meu caráter para ganho pessoal.

Essa foi uma das maiores bênçãos que já recebi, porque me ensinou a perdoar! Também me ensinou que a lei da compensação está sempre em vigor e que "tudo o que o homem semear, ele colherá".[11] Isso apagou de minha natureza o último pensamento persistente de buscar vingança pessoal a qualquer momento e em quaisquer circunstâncias. Ensinou-me que o tempo é amigo de todos os que estão certos e o inimigo mortal de todos os que são injustos e destrutivos. Me aproximou de um entendimento completo do Mestre quando ele disse: "Perdoe-os, Pai, porque não sabem o que fazem".

11. A lei da compensação pode ser uma "justa recompensa"!

Ensino

Chegamos agora a outra aventura que provavelmente me aproximou mais do fim do arco-íris do que qualquer outra, porque me colocou em uma posição em que achei necessário usar todos os conhecimentos que havia adquirido até aquele momento, a respeito de todos os assuntos com os quais eu era familiarizado, e me deu oportunidade de autoexpressão e desenvolvimento pessoal como raramente ocorre com um homem tão cedo na vida.

Voltei meus esforços para ensinar publicidade e vendas.[12]

Algum filósofo sábio disse que nunca aprendemos muito até começarmos a tentar ensinar aos outros. Minha experiência como professor provou que isso é verdade. Minha escola prosperou desde o início. Eu tinha uma escola presencial e uma escola por correspondência por meio da qual ensinava alunos em quase todos os países de língua inglesa.

Apesar da devastação da guerra, minha escola estava crescendo, ainda que aos trancos e barrancos, e eu via o fim do arco-íris se aproximando cada vez mais. Estava tão perto que quase pude estender a mão e tocar o pote de ouro.

Como resultado do que estava atingindo e do reconhecimento que estava ganhando, chamei a atenção do chefe de uma corporação, que me ofereceu um emprego de três semanas por mês com um salário de US$ 105.200 por ano – consideravelmente mais do que o presidente dos Estados Unidos recebe.

Em menos de seis meses, construí uma das forças de trabalho mais eficientes da América e aumentei os ativos da empresa a ponto

12. Essa escola se chamava George Washington Institute of Advertising.

de ela ter recebido uma oferta de compra por US$ 20 milhões a mais do que valia quando comecei.

Sinceramente, se você estivesse em meu lugar, não se sentiria justificado em dizer que encontrou o fim do arco-íris? Teria se sentido justificado em dizer que alcançou o sucesso?

Eu achava que sim, entretanto um dos choques mais fortes de todos esperava por mim, em parte devido à desonestidade do chefe da corporação para quem eu estava trabalhando, porém mais diretamente, suspeito, devido a uma causa mais profunda e significativa a respeito da qual o destino parecia ter decretado que eu deveria aprender alguma coisa.

Cem mil dólares do meu salário estavam condicionados à minha permanência como chefe da equipe por um período de um ano. Em menos da metade desse tempo, comecei a ver que estava transformando o poder e colocando-o nas mãos de um homem que estava cada vez mais bêbado pelo poder. Comecei a ver que a ruína esperava por ele na esquina. Essa descoberta me trouxe muita dor.

Moralmente, fui responsável por vários milhões de dólares de capital que induzi o povo americano a investir nessa corporação. Legalmente, é claro, eu não era de forma alguma responsável.

Finalmente levei esse assunto à tona, entregando um ultimato ao chefe da corporação para salvaguardar os fundos da empresa sob um conselho de controle financeiro, ou então aceitar minha renúncia. Ele riu da sugestão, porque pensou que eu não quebraria o contrato, afinal, com isso, perderia US$ 100 mil. Talvez não o tivesse feito se não fosse a responsabilidade moral que sinto em nome dos milhares de investidores. Pedi demissão, e a empresa entrou em concordata. Fiz tudo o que pude para protegê-la da má gestão de um jovem louco por dinheiro, um pouco de satisfação que me custou US$ 100 mil.

No momento, o fim do meu arco-íris parecia vago e um tanto distante. Houve horas em que me perguntei o que me levara a fazer papel de bobo e jogar fora uma fortuna apenas para proteger aqueles que nunca saberiam que eu tinha feito tal sacrifício por eles.

No meu fim, tabularei a soma total de tudo o que aprendi com cada um dos importantes fracassos e marcos de minha vida, mas, primeiro, deixe-me descrever o último desses fracassos. Para fazer isso, devo voltar àquele dia agitado – 11 de novembro de 1918. Era o Dia do Armistício, como todos sabem. Como a maioria das outras pessoas, fiquei tão embriagado de entusiasmo e alegria como qualquer homem ficava com o vinho.

Eu estava praticamente sem um tostão, pois a guerra havia destruído meu negócio, e eu tinha voltado esforços para o trabalho de guerra; mas fiquei feliz em saber que a matança havia acabado e que a razão estava prestes a espalhar suas asas benéficas sobre a Terra mais uma vez. A guerra tinha varrido minha escola, que teria me proporcionado uma renda de mais de US$ 15 mil por ano se os alunos não tivessem sido convocados para lutar e se eu não sentisse que era meu dever dedicar esforços para ajudar meu país em tempos de necessidade. Fiquei tão longe do fim do arco-íris quanto naquele dia agitado, mais de vinte anos antes, quando olhei para a entrada de uma mina de carvão onde trabalhava como operário e pensei na declaração que um cavalheiro gentil e idoso tinha feito para mim na noite anterior, mas percebi que um abismo enorme se interpunha entre mim e qualquer realização que não fosse trabalhar nas minas.

Feliz de novo

Mas eu estava feliz de novo! Mais uma vez, aquele pensamento do senhor gentil entrou na minha consciência e me levou a me perguntar se eu não estava procurando o tipo errado de recompensa no fim do arco-íris. Sentei-me à máquina de escrever sem nada em particular em mente. Para minha surpresa, minhas mãos começaram a tocar uma sinfonia regular nas teclas. Nunca antes tinha escrito tão rápido ou facilmente. Não pensei no que estava escrevendo – apenas escrevi e escrevi e continuei escrevendo.

Quando terminei, tinha cinco páginas do manuscrito, e, pelo que pude determinar, esse manuscrito foi escrito sem nenhum pensamento organizado de minha parte. Foi um editorial do qual nasceu minha primeira revista, *Napoleon Hill's Golden Rule Magazine*. Levei esse editorial a um homem rico e li para ele. Antes de eu ler a última linha, ele prometeu financiar a revista. Foi dessa maneira um tanto dramática que um desejo que permanecera adormecido na mente por quase vinte anos começou a tomar forma. Foi a mesma ideia que tive quando expus a declaração que fez com que aquele velho senhor colocasse a mão no meu ombro e fizesse aquela feliz observação vinte anos antes, que tinha como fundamento o pensamento de que a Regra de Ouro deveria ser o espírito orientador em todas as relações humanas.

Toda a minha vida quis ser editor de jornal. Mais de vinte anos atrás, quando eu era um menino muito pequeno, costumava operar a prensa para o meu pai, que imprimia um pequeno jornal, e aprendi a amar aquele cheiro de tinta.

O importante, para o qual gostaria de chamar sua atenção, é o fato de que encontrei meu nicho adequado no mundo do trabalho e fiquei muito feliz com isso. Estranhamente, comecei esse trabalho, que constituiu minha última volta na longa, longa trilha pela qual viajei em busca do fim do meu arco-íris, sem nunca pensar em encontrar um pote de ouro.

A revista prosperou desde o início. Em menos de seis meses, estava sendo lida em todos os países de língua inglesa do mundo. Isso me trouxe reconhecimento de todas as partes do planeta, o que resultou em uma turnê de palestras em 1920, cobrindo todas as grandes cidades da América.

Até então, eu tinha feito tanto inimigos quanto amigos. Agora uma coisa estranha acontecia: começando com meu trabalho editorial inicial, passei a fazer amigos aos milhares; até hoje mais de cem mil pessoas estão ao meu lado porque acreditam em mim e na minha mensagem.

O que causou essa mudança?

Se você entende a lei da atração, pode responder a isso porque sabe que o semelhante atrai o semelhante e que um homem atrairá amigos ou inimigos de acordo com a natureza dos pensamentos que dominam sua mente. Não se pode assumir uma atitude beligerante em relação à vida e esperar fazer amigos. Quando comecei a pregar a Regra de Ouro em minha primeira revista, comecei a vivê-la o máximo que pude.

Há uma grande diferença entre simplesmente acreditar na Regra de Ouro e realmente praticá-la em atos abertos, uma verdade que aprendi quando comecei a revista. Essa percepção me trouxe bem rápido à compreensão de um princípio que agora permeia todo pensamento que encontra um lugar permanente em minha mente e domina cada ato que realizo quase tão humanamente quanto possível, e esse pensamento não é outro senão aquele estabelecido pelo Mestre em seu Sermão da Montanha, quando nos admoestou a "fazer aos outros o que gostaríamos que eles fizessem a nós".

Nos últimos três anos, tenho enviado vibrações do pensamento da Regra de Ouro a centenas de milhares de pessoas. Essas ondas de pensamento se multiplicaram, repercutiram e me trouxeram ondas de boa vontade daqueles que foram alcançados pela minha mensagem.

Eu estava me aproximando rapidamente do fim do arco-íris pela sétima e última vez. Cada avenida de fracasso parecia fechada. Meus inimigos foram se transformando bem devagar em amigos, e eu estava fazendo novos amigos aos milhares. Mas precisava passar por um teste final.

Como afirmei, estava me aproximando do fim do arco-íris com a firme convicção de que nada na Terra poderia me impedir de alcançá-lo e obter meu pote de ouro e tudo o mais que um buscador bem-sucedido dessa grande recompensa poderia esperar.

Como um raio no céu claro, tomei um choque!

O impossível havia acontecido. Minha revista, a *Napoleon Hill's Golden Rule Magazine*, não apenas foi arrancada de minhas mãos durante a noite, mas a influência dela, que eu havia construído, foi temporariamente transformada em arma contra mim.

Mais uma vez, me decepcionei com as pessoas e pensei mal delas. Foi um golpe violento para mim quando acordei com a percepção de que não existia verdade na Regra de Ouro que eu havia pregado a milhares de pessoas por meio das páginas da minha revista e pessoalmente, e que me ajudava a fazer o meu melhor para viver também.

Esse foi o momento supremo de teste.

Teria a minha experiência provado que meu princípio mais amado era falso e nada mais do que uma armadilha para enganar os não instruídos, ou eu estava prestes a aprender uma grande lição que estabeleceria a verdade e a solidez desses princípios pelo resto de minha vida e talvez por toda a eternidade?

Essas foram as perguntas que me pressionaram.

Não respondi rapidamente; não pude. Fiquei tão atordoado que tive que parar e recuperar o fôlego. Eu estava pregando que não se podia roubar as ideias, ou planos, ou bens e mercadorias de outro homem e ainda assim prosperar. Minha experiência parecia desmentir tudo que eu já havia escrito ou falado nesse sentido, porque os homens que roubaram a menina dos olhos da minha vida pareciam não apenas estar prosperando com isso, mas realmente o usaram como um meio de me impedir de levar a cabo meus planos de prestar um serviço mundial de interesse da humanidade.

Meses se passaram, e eu não conseguia fazer nada. Fui deposto, minha revista foi tirada de mim, e meus amigos pareciam me ver como uma espécie de Ricardo Coração de Leão caído. Alguns disseram que eu voltaria mais forte e maior, pela experiência. Outros afirmaram que eu estava acabado. Os comentários iam e vinham, mas fiquei olhando espantado, sentindo-me como alguém que está passando por um pesadelo e não pode acordar ou mover nem sequer um dedo.

Literalmente, eu estava experimentando um pesadelo bem desperto que parecia me imobilizar de verdade. Minha coragem se foi. Minha fé na humanidade quase se foi. Meu amor pela humanidade estava enfraquecendo. Sem dúvida, pouco a pouco, eu estava invertendo minha opinião a respeito dos mais elevados e melhores ideais que vinha construindo por mais de duas décadas. As semanas que se passaram pareceram uma eternidade. Os dias pareciam uma vida inteira.

Um dia, porém, a atmosfera começou a clarear.

Algumas atmosferas turvas geralmente desaparecem. O tempo é um maravilhoso curador de feridas. Ele cura quase tudo que é doente ou ignorante, e a maioria de nós às vezes consegue ser ambos.

O tempo cura quase tudo que é doente ou ignorante, e a maioria de nós às vezes consegue ser ambos.

Durante o sétimo e maior fracasso de minha vida, fui reduzido a uma pobreza maior do que qualquer outra que já havia conhecido. De uma casa bem mobiliada, fui reduzido, praticamente da noite para o dia, a um apartamento de um cômodo. Vindo como veio esse golpe, quando eu estava prestes a agarrar o pote de ouro no final do arco-íris, ele abriu uma ferida profunda e feia em meu coração. Durante esse breve teste, fui obrigado a ajoelhar-me na poeira da pobreza e comer a crosta de todas as minhas loucuras do passado. Quando estava quase desistindo, as nuvens de escuridão começaram a se dissipar tão rapidamente quanto surgiram.

Fiquei cara a cara com um dos testes mais difíceis que já tive. Talvez nenhum ser humano tenha sido mais severamente provado do que eu – pelo menos foi assim que me senti na época.

O carteiro entregou minha escassa coleção de correspondências. Ao abri-la, estava observando o sol vermelho pálido que havia quase desaparecido no horizonte oeste. Para mim, era um símbolo do que estava para acontecer comigo, pois vi meu sol da esperança também se pondo a oeste. Abri o primeiro envelope da pilha e, ao fazê-lo, um certificado de depósito caiu no chão, e caiu virado para cima. Era de US$ 25 mil. Por um minuto inteiro fiquei com os olhos grudados naquele pedaço de papel, me perguntando se não estava sonhando. Aproximei-me dele, peguei e li a carta que o acompanhava.

Esse dinheiro era meu! Eu poderia sacar do banco à vontade. Apenas duas pequenas condições estavam presas a ele, mas essas condições me obrigariam a dar as costas a tudo o que havia pregado sobre colocar o interesse das pessoas acima do de qualquer indivíduo.

O momento supremo de teste havia chegado. Aceitaria aquele dinheiro, que era uma grande soma, para publicar a revista, ou o devolveria e continuaria lutando? Essas foram as primeiras perguntas que chamaram minha atenção.

Então ouvi o toque de um sino perto do meu coração. Dessa vez, o som foi mais direto. Isso me fez sentir o corpo formigar. Com o toque desse sino, veio o comando mais direto que já se registrou em minha consciência, e esse comando foi acompanhado por uma mudança química em meu cérebro como eu nunca tinha experimentado antes. Foi um comando positivo e surpreendente, e trouxe uma mensagem que eu não poderia interpretar mal.

Sem promessa de recompensa, isso me fez devolver aqueles US$ 25 mil.

Hesitei. O sino continuou tocando. Meus pés pareciam grudados no local. Eu não conseguia me desviar do meu caminho. Então tomei uma decisão. Decidi atender a essa sugestão, que ninguém, exceto um tolo, poderia ter recusado.

No instante em que cheguei a essa conclusão, olhei e, no crepúsculo que se aproximava, vi o fim do arco-íris. Finalmente consegui alcançá-lo. Não vi nenhum pote de ouro, exceto aquele que estava prestes a mandar de volta para a fonte de onde veio, mas encontrei algo mais precioso que todo o ouro do mundo, quando ouvi uma voz que me alcançou, não pelos meus ouvidos, mas através do meu coração.

E dizia: “Deus está à sombra de todo fracasso”.

O fim do meu arco-íris me trouxe o triunfo dos princípios sobre o ouro. Isso me deu uma comunhão mais próxima com a grande “Força Invisível” deste universo e uma nova determinação de plantar a semente da Regra de Ouro filosoficamente nos corações de milhares de outros viajantes cansados que buscam o fim de seu arco-íris.

O fim do meu arco-íris me trouxe o triunfo dos princípios sobre o ouro.

Na edição de julho de 1921 da *Napoleon Hill's Magazine*, minha secretária conta sobre um dos eventos mais dramáticos que se seguiram de perto à decisão de não aceitar ajuda financeira de fontes que controlariam, de qualquer forma, minha caneta. Esse incidente é apenas um, cada um constituindo evidência suficiente para convencer todos, exceto os tolos, de que a Regra de Ouro realmente funciona, que a lei da compensação está em vigor e que "tudo o que o homem semear, ele colherá".

Não só consegui todo o capital necessário para transportar a *Napoleon Hill's Magazine* pelo período inicial, durante o qual suas próprias receitas foram insuficientes para publicá-la, mas, o que é de maior significado, a revista está crescendo com rapidez até então desconhecida no campo dos periódicos. Os leitores e o público em geral captaram o espírito do trabalho que estamos fazendo e colocaram em prática a lei dos rendimentos crescentes a nosso favor.

As lições mais importantes

Agora, deixe-me resumir as lições mais importantes que aprendi em minha busca pelo fim do arco-íris. Não tentarei mencionar todas as lições, apenas as mais importantes. Deixo para sua imaginação muito do que você pode ver sem que eu conte aqui.

Em primeiro lugar, e o mais importante de tudo, em minha busca pelo fim do arco-íris, encontrei Deus em todas as manifestações concretas, compreensíveis e satisfatórias, o que já seria bastante significativo se nada mais encontrasse. Durante toda a vida, estive um tanto inseguro quanto à natureza exata daquela "mão invisível" que dirige os assuntos do universo, mas meus sete pontos de inflexão na trilha do arco-íris da vida me levaram, finalmente, a uma conclusão que me satisfaz. Não importa se minha conclusão está certa ou errada; o principal é que isso me satisfaz.

As lições importantes que aprendi são estas:

Aprendi que aqueles que consideramos nossos inimigos são, na realidade, nossos amigos. À luz de tudo o que aconteceu, não voltaria atrás nem desfaria uma única dessas experiências penosas com as quais me deparei, porque cada uma delas me trouxe evidências positivas da solidez da Regra de Ouro e da existência da lei da compensação, por meio da qual reivindicamos nossas recompensas pela virtude e pagamos as penalidades por nossa ignorância.

Aprendi que o tempo é amigo de todos os que baseiam seus pensamentos e ações na verdade e na justiça e que é o inimigo mortal de todos os que falham em fazê-lo, embora a penalidade da recompensa muitas vezes demore para chegar aonde é devida.

Aprendi que o único pote de ouro pelo qual vale a pena lutar é aquele que vem da satisfação de saber que os esforços de alguém estão trazendo felicidade para os outros.

Um por um, tenho visto aqueles que são injustos comigo serem abatidos pelo fracasso. Vivi para ver cada um deles reduzido ao fracasso muito além de qualquer coisa que eles planejaram contra mim. O banqueiro que mencionei foi reduzido à pobreza; os homens que roubaram minha participação na Betsy Ross Candy Company e tentaram destruir minha reputação chegaram ao que parece ser um fracasso permanente, um deles vivendo como condenado em uma prisão federal.

O homem que me fraudou com meu salário de US$ 100 mil e a quem levei riqueza e influência foi reduzido à pobreza e à necessidade. Em cada curva da estrada que finalmente levou ao fim do meu arco-íris, vi evidências incontestáveis para apoiar a filosofia da Regra de Ouro que agora estou enviando com um esforço organizado para centenas de milhares de pessoas.

Por último, aprendi a ouvir o toque do sino que me guia quando chego às encruzilhadas da dúvida e da hesitação. Aprendi a usar uma fonte até então desconhecida, da qual recebo minhas sugestões quando desejo saber para que lado seguir e o que fazer, e essas sugestões nunca me levaram na direção errada. Ao terminar, vejo, nas paredes do meu escritório, os retratos de grandes homens cujas vidas tentei imitar. Entre eles está aquele Lincoln imortal, de qual o rosto áspero e preocupado pareço ver um sorriso emergir, e de cujos lábios quase posso ouvir as palavras mágicas: “Com caridade para todos e malícia com ninguém”. E, no fundo do meu coração, ouço aquele sino misterioso tocando, e retumbando ele vem mais uma vez quando fecho estas linhas com a maior mensagem que já alcançou minha consciência: “Deus está à sombra de todo fracasso”.

Quando Napoleon Hill foi convidado a proferir o sermão de bacharelado em 2 de junho de 1957, no Salem College, já fazia 35 anos desde que proferira um discurso de formatura para a classe de formandos de 1922 na mesma faculdade.

Em The Alumni Echoes, o jornal escolar do Salem College, a manchete era "Convocação definida hoje". O jornal tinha o seguinte a dizer sobre o Dr. Hill:

> Napoleon Hill, filósofo, autor e educador que ensinou mais pessoas como alcançar o sucesso financeiro e espiritual na vida do que qualquer outra pessoa viva, fará o discurso de bacharelado às 20h, no domingo, 2 de junho, no auditório do Salem College.
>
> Durante uma vida particularmente emocionante, ele desenvolveu a "ciência do sucesso", um estudo exato que estabeleceu os princípios pelos quais qualquer um pode realizar seus objetivos materiais, não importa quais sejam suas ambições.
>
> Além disso, Hill tem sido confidente e conselheiro de presidentes, industriais e líderes governamentais, incluindo Franklin D. Roosevelt, Woodrow Wilson, Andrew Carnegie e Henry Ford. Na verdade, foi Carnegie quem o iniciou na pesquisa que resultou no desenvolvimento dos "17 princípios do sucesso".
>
> Literalmente, milhões de pessoas dão crédito ao Sr. Hill por inspirá-las a maiores alturas de fortuna na vida do que jamais acreditaram ser possível. Mais do que

isso, ele lhes forneceu métodos práticos passo a passo para realizar suas ambições.

"O que a mente humana pode conceber e acreditar, a mente humana pode realizar" é o núcleo da filosofia do Sr. Hill.

"Você pode ser qualquer coisa que quiser, se apenas acreditar com convicção suficiente – e agir de acordo com sua fé."

Estima-se que sessenta milhões de pessoas em todo o mundo leram e se beneficiaram de seu livro mais notável, *Quem pensa enriquece*, desde sua publicação, em 1937.

Napoleon Hill nasceu no condado de Wise, na Virgínia, em 26 de outubro de 1883, em meio ao "luar, alambiques de montanha, analfabetismo e feudos mortais". Embora tenha nascido na pobreza, dizem que recebeu o nome incomum de Napoleon em homenagem a seu rico tio-avô paterno.

Com o objetivo de financiar sua educação, o Sr. Hill lançou um novo projeto aos 25 anos de idade. Ele começou a escrever artigos biográficos sobre pessoas de sucesso para o senador Bob Taylor, do Tennessee, editor de um importante periódico da época.

O deputado Jennings Randolph, que atribuiu a Hill a ajuda para alcançar seu próprio sucesso como executivo da Capital Airlines, apresentou Hill, em 1933, a Franklin D. Roosevelt, e, como resultado, Hill tornou-se conselheiro presidencial. Foi ele quem deu a

Roosevelt a ideia de seu famoso discurso – "Não temos nada a temer além do próprio medo" – que ajudou a deter a histeria financeira no poço da Depressão.

O Sr. Hill estava interessado e prestativo com o Salem College há muitos anos e fez o discurso de formatura em 1922. Ele é editor da revista *Success Unlimited.* Também é autor de muitos livros sobre desenvolvimento pessoal, incluindo *Quem pensa enriquece,* que vendeu mais de sessenta milhões de cópias e foi reimpresso em vários outros idiomas. Um de seus volumes mais recentes foi *Como aumentar o seu próprio salário.*

Hill é casado e tem três filhos adultos. Ele e sua esposa vivem tranquilamente em Glendale, na Califórnia.

Muita coisa aconteceu na vida de Hill desde 1922, quando ele se dirigiu aos 25 graduados, incluindo Jennings Randolph, que representaria a Virgínia Ocidental no Congresso. O Sr. Randolph serviu por muitos anos no Congresso dos Estados Unidos e tornou-se amigo de Hill, e mais tarde atuou como curador no conselho da Fundação Napoleon Hill.

No discurso de 1957, Hill recebeu um doutorado honorário em literatura.

– Don Green

OS 5 FUNDAMENTOS DO SUCESSO

Sermão de bacharelado de 1957 no Salem College

O dicionário descreve bacharelado como – e aqui vou citar – "um sermão de despedida para uma classe de formandos no dia de formatura".

O que tenho a dizer a você não constitui um sermão e certamente não é um adeus!

Na verdade, minha mensagem para você é de saudação, pois é um grande prazer e honra estender as calorosas boas-vindas enquanto você deixa o mundo escolar e entra no mundo empresarial e profissional.

Espero sinceramente que minhas habilidades oratórias sejam suficientes para tornar minha mensagem altamente pessoal, de modo que cada um aqui, jovens senhoras e senhores, sinta que estou falando diretamente a vocês. Pois é com essa nota pessoal que acho que você obterá o maior benefício do que tenho a dizer.

Em outras palavras, espero que, quando eu terminar, você não se sinta como a mulher que apertou a mão de seu pastor depois da igreja em um domingo e disse: "Foi um sermão maravilhoso! Tudo o que foi dito se aplica a alguém que eu conheço!".

Ou eu poderia citar o caso do clérigo que ilustrou um ponto em seu sermão dizendo algo sobre qual de nós cresce melhor à luz do sol e qual de nós deve ter sombra.

"Você sabe", disse o ministro à sua congregação, "que você planta rosas à luz do sol. Mas, se quiser que as fúcsias cresçam, elas devem ser mantidas em um lugar sombrio."

Depois, o coração do ministro brilhou quando uma mulher agarrou sua mão e disse: "Pastor, estou muito grata por seu esplêndido sermão!". Mas a gratificação dele diminuiu quando ela continuou a dizer: "Você sabe, eu nunca soube antes qual era o problema com minhas fúcsias!".

Espero que cada um de vocês aprenda a plantar certas sementes que lhes trarão uma rica colheita de felicidade espiritual e material.

Nenhum de vocês aprenderá a cultivar fúcsias comigo hoje. Mas, em certo sentido, minha mensagem se aplica à jardinagem. Pois de minhas palavras espero que cada um de vocês aprenda a plantar certas sementes que, nos próximos anos, lhes trarão uma rica colheita de felicidade espiritual e material. E se cada um de vocês aprender apenas uma pequena dica sobre como cultivar o jardim da vida – como a senhora com suas fúcsias –, ficarei satisfeito.

Por outro lado, espero que você não vá embora se sentindo como a garotinha que foi à igreja pela primeira vez. Quando o ministro perguntou se ela gostava da programação, ela respondeu: "Bem, achei a música muito boa – mas seu comercial é muito longo!". Há apenas 35 anos, também em um verão, estive no mesmo púlpito e falei para a turma de formandos do Salem College.

Isso foi em 1922. A Primeira Guerra Mundial acabara de terminar. Nesse grande conflito, a América foi o fator decisivo para trazer a vitória aos Aliados. Nosso país estava emergindo como a maior potência política e econômica do planeta. Consequentemente, não foi preciso grande poder de profecia para prever um belo cenário para a turma de formandos do Salem College de 1922. Pude, naquela época, chamar a atenção dos formandos para a abundância de oportunidades de progresso pessoal nesta nação. E pude prever com precisão que nosso país estava entrando em seu maior período de expansão industrial e econômica da história. Havia algumas coisas que – fico feliz em dizer – não pude prever. Uma delas foi a Grande Depressão dos anos 1930.

A outra foi a Segunda Guerra Mundial e a ascensão do comunismo. Quase parece que a bendita Providência levanta um pouco o véu do futuro para nos permitir prever as coisas boas à nossa frente, mas misericordiosamente retém o conhecimento do mal que está por vir! Foi um grande prazer para mim, durante os últimos 35 anos, observar o desenrolar de muitas das previsões que fiz naquele dia de verão de 1922. Devo admitir, no entanto, que meus sonhos mais loucos e otimistas naquele dia não chegaram nem perto de descrever a gloriosa realidade! Sem dúvida, há, na audiência de hoje, pelo menos alguns da turma de formandos de 1922. E tenho certeza de que eles me perdoarão por não ter previsto os avanços estupendos que o homem faria nos campos da ciência e da cultura. Pois quem – em 1922 – poderia ter previsto coisas como a energia nuclear, o tremendo crescimento das indústrias de aviação e eletrônica ou nossa conquista da distância e do tempo? Ora, se eu tivesse ousado prever em 1922 que o homem voaria a duas ou três vezes a velocidade do som, tenho certeza de que os membros do corpo docente e da turma de formandos teriam me ridicularizado no palco.

(Olhando para o presidente da faculdade) Não é verdade?

Há uma grande lição para vocês, jovens, em tudo isso. É simplesmente isto: não importa o quão otimista e esperançosas minhas palavras soem hoje, não importa o quanto eu deixe minha imaginação vagar, não importa o quão brilhante eu descreva o futuro, eu não posso ter esperança de traçar um quadro completo das gloriosas conquistas que a humanidade alcançará durante os próximos 35 anos!

Neste ponto, lembro-me do motorista de táxi em Washington, D.C., que levava um turista enquanto passava em frente ao Prédio dos Arquivos do governo. No edifício está esculpido um lema que diz:

"O que é passado é prólogo."

"O que significa o lema?", perguntou o visitante.

"Bem", disse o motorista, "isso significa que você não viu nada ainda!"

As coisas que você está destinado a ver durante a vida, as gloriosas realizações das quais você fará parte, desafiam qualquer descrição!

Muitos anos atrás, apresentei uma teoria que desde então tem sido repetida com tanta frequência que agora soa como clichê. O fato é, entretanto, que a verdade de minha declaração está sendo provada todos os dias. Qual foi essa afirmação? Simplesmente isto:

O que quer que a mente do homem possa conceber e acreditar, a mente pode realizar!

Na verdade, meus jovens amigos, seu futuro – suas realizações e conquistas – será limitado apenas pelos limites de sua imaginação!

Não há dúvida de que cada um de vocês experimentará decepções e contratempos temporários. E não há dúvida de que a tragédia coletiva – possivelmente na forma de guerra ou depressão – afligirá sua geração como aconteceu com aqueles que vieram antes de você.

Mas aqui posso oferecer-lhe outra verdade da ciência da realização pessoal que tive o prazer de formular durante os últimos cinquenta anos: isto é, que toda adversidade traz consigo a semente de um benefício equivalente. Deixe-me repetir: toda adversidade traz consigo a semente de um benefício equivalente.

Você decide

Depende de você, no entanto, encontrar essa semente, nutri-la e trazê-la para o pleno crescimento e realização. Ninguém pode fazer isso por você. Cada um de nós, com a ajuda de nosso Criador Todo-Poderoso, cria o próprio destino. E, da mesma forma, cada um de nós deve encontrar aqueles benefícios ocultos que Ele nos concede em momentos de adversidade.

Deixe-me repetir mais uma vez aquelas duas afirmações que acho que formam os pilares sobre os quais você pode, com fé, construir a estrutura de uma vida de sucesso. A primeira é "tudo o que a mente do homem pode conceber e acreditar, a mente pode alcançar". Em segundo lugar, "toda adversidade traz consigo a semente de um benefício equivalente".

Se você dominar esses dois conceitos, terá dado dois passos gigantescos para alcançar a felicidade.

Você já se colocou no caminho do sucesso por meio do esforço, trabalho e perseverança que demonstrou nos últimos quatro anos. Durante este período, você – com a esplêndida ajuda do corpo docente do Salem College – preparou o solo do jardim da vida, cultivando-o e alimentando-o em preparação para o plantio.

Não deixe ninguém tentar minimizar o valor de sua educação universitária. Isso lhe deu uma tremenda vantagem para moldar seu futuro. Somente com o passar dos anos você terá plena consciência da ajuda que recebeu dos excelentes homens e mulheres do corpo docente da faculdade. E a cada ano que passar, tenho certeza de que você encontrará motivos para uma gratidão cada vez maior em relação a eles.

Agora, com sua formatura em Salem, vocês estão prestes a começar a plantar as sementes reais das quais terão uma colheita mais tarde na vida. Tenho um aviso que gostaria de dar a vocês a esse respeito: não esperem muito para começar a plantar! Agora, na primavera da sua vida, é a hora de decidir exatamente que tipo de colheita você deseja que sua vida dê. Quanto mais você atrasar o plantio, mais a colheita vai demorar.

E isso, meus amigos, me leva ao cerne da minha conversa com vocês hoje.

Pediram-me para dizer o que considero as cinco características ou traços essenciais que levam ao sucesso na vida.

Por que, você pode perguntar, estou qualificado para falar sobre o assunto sucesso? Espero que, ao longo de sua vida, você sempre mantenha a mesma atitude questionadora em relação a qualquer pessoa que alega falar com autoridade.

Bem, Oliver Goldsmith disse uma vez que "você pode pregar um sermão melhor com sua vida do que com os lábios". Então, talvez você vá me tolerar por um momento se eu declarar minhas qualificações para falar sobre o assunto de realização pessoal.

Foi em 1908 que, como jovem redator de revista, entrei em contato com Andrew Carnegie, o grande magnata do aço. Muito se disse e muito se escreveu sobre Carnegie. Algumas coisas foram depreciativas. Mas deixe-me dizer que, durante o curso de uma amizade que durou muitos anos, nunca conheci uma pessoa de ideais mais elevados, de coração mais caloroso ou de maior amor pelo próximo.

Em nenhum lugar ele demonstrou esse amor mais diretamente do que em sua sugestão de que eu assumisse a tarefa de formular uma filosofia definida de realização humana. Ele esperava que pessoas como vocês pudessem evitar o método aleatório de tentativa e erro pelo qual ele ascendeu a sua posição elevada.

Como resultado da sugestão do Sr. Carnegie, e com sua ajuda, passei vinte anos entrevistando centenas de pessoas de sucesso em todas as esferas da vida.

Muitas dessas pessoas se tornaram meus amigos pessoais próximos. Elas incluíam homens como Thomas Edison, Alexander Graham Bell e Henry Ford.

A partir dessa pesquisa, desenvolveu-se o que é conhecido como a "ciência do sucesso", com base em 17 princípios que considero os fatores decisivos para o sucesso ou fracasso de um indivíduo.

Cinco fundamentos absolutos de sucesso

Cinco desses princípios serão apresentados a vocês hoje como essenciais absolutos para o sucesso. Se aplicados corretamente, eles podem levá-lo deste ponto em diante, para onde você deseja estar no chamado de sua escolha.

Devo lembrar-lhes, no entanto, que não existe neste mundo algo em troca de nada. Tudo o que vale a pena ter tem um preço. Como Emerson tão bem afirmou: "Nada pode trazer paz a você, exceto você mesmo. Nada pode lhe trazer paz exceto o triunfo dos princípios".

Parafraseando essa sábia advertência, digamos que nada pode trazer sucesso a você a não ser você mesmo.

Nada pode lhe trazer sucesso exceto a aplicação dos princípios que têm sido responsáveis por todos os sucessos.

Deixe-me listar para você agora os cinco fundamentos do sucesso:

1. Definição de propósito
2. O princípio do MasterMind
3. Ir além
4. Autodisciplina
5. Fé aplicada

Definição de propósito

Toda realização bem-sucedida começa com definição de propósito. Nenhum homem pode esperar ter sucesso a menos que saiba precisamente o que quer e condicione a mente para completar a ação necessária para alcançá-lo.

Como alguém pode condicionar a mente com definição de propósito? Simplesmente cultivando uma capacidade profunda e duradoura de acreditar!

Eu poderia citar exemplo após exemplo para provar que a definição de propósito traz resultados. Mas não consigo pensar em nenhum caso melhor que o do Sr. W. Clement Stone, de Chicago.

Pouco depois da publicação de meu livro *Quem pensa enriquece: Edição oficial e original de 1937*, o Sr. Stone encontrou uma cópia dele. Naquela época, ele ganhava uma vida modesta como vendedor de seguros. Isso foi em 1938.

Como resultado do que meu livro dizia sobre a necessidade de escolher um objetivo definido na vida, o Sr. Stone tirou um caderno do bolso e escreveu as seguintes palavras: "Meu objetivo na vida é este: em 1956, serei presidente da maior seguradora de saúde e acidentes do mundo".

O Sr. Stone assinou seu nome e começou a ler para si mesmo diariamente, até que ficou gravado em sua consciência. E porque ele sabia o que queria, foi capaz de reconhecer a oportunidade quando ela apareceu. Quando teve a chance de adquirir a Combined Insurance Company of America, foi capaz de agir com determinação para alcançar seu objetivo. E, por meio de sua energia, a empresa agora se tornou o que ele determinou que seria – a maior seguradora de saúde e acidentes do mundo.

Agora, devo acrescentar, o Sr. Stone dedica muito de seu tempo e talento para ajudar os outros a alcançar seus objetivos – patrocinando o curso Ciência do Sucesso e publicando uma revista mensal, a *Success Unlimited*.

O Sr. Stone teve sucesso porque sabia o que queria, acreditava que o conseguiria e manteve essa crença até que ela produzisse as oportunidades de que precisava para cumprir seu propósito.

Há algo no poder do pensamento que parece atrair para uma pessoa o equivalente material de seus objetivos e propósitos. Esse poder não é feito pelo homem. Mas foi feito para o homem usar e para capacitá-lo a controlar grande parte de seu destino terreno.

Em essência, entramos neste mundo com o equivalente a um envelope lacrado contendo uma longa lista de bênçãos que cada um de nós pode desfrutar ao abraçar e usar o poder da mente. Mas o envelope também contém uma lista de penalidades a serem pagas pela pessoa que deixar de reconhecer esse poder e usá-lo.

Esse dom é a única coisa que qualquer um de nós controla absolutamente. Portanto, é a coisa mais preciosa que temos.

Lembre-se apenas disto: seja o que for que você tem, você deve usá-lo com sabedoria – ou o perderá. E isso, é claro, inclui seu direito inexorável de estabelecer seu próprio propósito na vida e de manter a mente fixada nesse propósito até que você o alcance.

Lembre-se também de que você não pode acertar mais alto do que mira. Portanto, não tenha medo de mirar alto – muito alto.

Isso me lembra da época em que o grande evangelista Dwight Moody se juntou a outro ministro para pedir a uma senhora rica sua contribuição para um fundo de construção. Antes de entrar em sua mansão, Moody perguntou ao outro ministro quanto eles deveriam pedir à mulher.

"Oh", disse o pastor, "cerca de US$ 250."

"Acho melhor você me deixar cuidar disso", respondeu Moody.

Quando encontrou a senhora, Moody disse categoricamente: "Viemos pedir a você US$ 2 mil para construir uma nova missão".

A senhora ergueu as mãos horrorizada e disse: "Oh, Sr. Moody! Eu não poderia dar mais do que mil dólares".

Moody e o ministro saíram com um cheque nesse valor.

O objetivo dessa história, claro, é mostrar que a vida não vai dar aos jovens mais do que eles exigem. Você pode não conseguir tudo o que espera. Mas, a menos que escolha um objetivo principal definido na vida, não pode esperar alcançar nada!

Lembre-se também de que seu objetivo não precisa envolver o acúmulo de riqueza material.

Homens como Albert Schweitzer, Jonas Salk e Padre Damien alcançaram seus objetivos principais definidos. E em nenhum desses casos o objetivo deles era adquirir mais do que um único dólar pelo dinheiro em si. Na verdade, não consigo pensar em nenhuma maneira melhor para qualquer um de vocês obter felicidade e paz de espírito durante a vida do que estabelecer uma meta específica para servir aos seus semelhantes.

Por outro lado, deixe-me enfatizar que não há conflito entre riqueza e um estado de paz de espírito. A riqueza, adquirida honestamente, é uma grande bênção – especialmente quando a pessoa rica se considera um mordomo que pode usar seus fundos para ajudar os outros.

Ao selecionar sua meta, lembre-se de que nada é impossível nos dias de hoje, quando, como Rodgers e Hammerstein disseram em *Cinderela*, "coisas impossíveis acontecem todos os dias".

Como repórter, cobri os esforços dos irmãos Wright em Arlington, na Virgínia, para convencer a Marinha de que eles tinham uma máquina que voava.

Por três dias, sentei-me em meu automóvel enquanto Orville e Wilbur Wright se esforçavam para colocar seu avião no ar. Finalmente, ele subiu por alguns segundos, depois desceu com um estrondo e quebrou-se em pedaços.

Um senhor idoso que estava por perto disse: "Eles nunca vão fazer com que as coisas voem, não é, filho? Se Deus quisesse que o homem voasse, ele lhe teria dado asas, não teria?".

Na época, parecia que o velho estava certo. Mas me pergunto o que aquele cavalheiro teria dito se, alguns dias atrás, pudesse sentar comigo em um avião moderno, voando a mais de quinhentos quilômetros por hora, quase cinco quilômetros acima da Terra, almoçando calmamente.

Como você pode dominar o primeiro dos cinco fundamentos do sucesso?

Decida logo – nas próximas semanas, se possível – sobre um propósito definitivo importante em sua vida. Escreva de forma clara e detalhada em um caderno de bolso. Assine, memorize e repita em voz alta pelo menos três vezes ao dia, afirmando sua crença de que pode ser alcançado.

No mesmo caderno, escreva uma descrição clara do plano com o qual você pretende atingir seu objetivo. Indique o tempo máximo em que pretende alcançá-lo. Além disso, descreva em detalhes precisamente por que você acredita que atingirá seu propósito e o que pretende dar em troca. Este último item é importante. Pense muito nisso.

Mantenha sua meta constantemente diante de você.

Mantenha sua meta constantemente diante de você, para que sua mente subconsciente possa trabalhar nela por meio da autossugestão.

E, acima de tudo, não se esqueça de buscar orientação na oração. Ao longo da vida, seu espírito deve crescer com seu corpo. Oração e trabalho andam de mãos dadas para nos trazer paz de espírito.

Isso foi ilustrado quando o chefe de um mosteiro ouviu um monge expressar dúvidas sobre o lema da ordem: "Ore e trabalhe". Ele convidou o jovem a remar com ele e levou ele mesmo os remos.

Depois de um tempo, o jovem ressaltou que o superior estava usando apenas um remo e disse: "Se você não usar os dois, vamos andar em círculos, e você não vai chegar a lugar nenhum".

"Isso mesmo, meu filho", respondeu o homem mais velho. "Um remo se chama oração, e o outro se chama trabalho. A menos que você use os dois ao mesmo tempo, simplesmente anda em círculos e não chega a lugar nenhum."

A influência do passar dos anos em minha vida me permitiu compreender melhor a atitude com que devo orar. Como resultado, agora sempre encerro minha oração com estas palavras:

Ó, Inteligência Infinita, peço não mais bênçãos, porém mais sabedoria com a qual fazer melhor uso da maior de todas as bênçãos com as quais fui dotado ao nascer – o direito de abraçar e direcionar para os fins de minha própria escolha os poderes da minha mente.

O MasterMind

Isso nos leva ao segundo dos cinco fundamentos do sucesso, conhecido como princípio do MasterMind. Consiste simplesmente em uma aliança de duas ou mais pessoas que coordenam esforços em um espírito de perfeita harmonia para a realização de um propósito definido.

Foi Andrew Carnegie quem primeiro me apresentou a esse princípio, quando lhe pedi para descrever os meios pelos quais ele havia acumulado sua grande fortuna. Ele respondeu francamente que tinha vindo por meio dos esforços de outros homens – os homens que pertencem ao seu grupo de MasterMind. Então, um por um, ele nomeou os membros do grupo e como cada um contribuiu para seu sucesso.

Carnegie deixou claro para mim que, embora qualquer indivíduo possa alcançar o sucesso, um sucesso muito maior pode ser atingido por meio de um grupo que trabalhe em perfeita harmonia para que seus talentos, educação e personalidade se complementem.

A Declaração de Independência foi criada pela aliança de MasterMind mais profunda que esta nação já conheceu. Consistia nos 56 homens corajosos que assinaram o documento, sabendo que estavam arriscando suas vidas e fortunas. Aqui estava a harmonia perfeita em seu mais alto nível – e seus resultados mudaram, em grande medida, o destino de toda a raça humana.

Existem três pontos de contato que insisto para que você relacione com os outros na base do MasterMind: sua casa, sua igreja e seu ambiente de trabalho. Faça isso fielmente e você terá percorrido um longo caminho a fim de garantir prosperidade, paz de espírito e boa saúde.

Repetidamente, tenho visto como a aliança de MasterMind – o grupo que trabalha em harmonia – produz resultados surpreendentes.

Poderia um homem, por exemplo, ter realizado o trabalho científico que resultou na produção de energia atômica? Nunca! Cada um de nós pode realizar muito em uma única vida. Mas, trabalhando em harmonia com os outros em direção a um único objetivo, resultados que normalmente levariam séculos podem ser alcançados em um tempo relativamente curto.

Ir além

O terceiro dos cinco elementos essenciais para o sucesso é o hábito de ir além. No Sermão da Montanha, somos informados: "Se algum homem exigir que você caminhe com ele uma milha, caminhe duas".

O hábito de ir além significa apenas a prática de prestar mais e melhores serviços do que você é pago para prestar – e fazê-lo com uma atitude positiva e agradável.

Nunca conheci uma única pessoa que alcançasse grande sucesso sem seguir o hábito de prestar mais serviços do que se esperava dela.

Gostaria de citar o registro de um homem que conheci aqui no Salem College, quando fiz o discurso de formatura há 35 anos. Ele é um homem conhecido de todos vocês. Claro, estou falando de Jennings Randolph, que, devo acrescentar, é carinhosamente conhecido em minha organização como "Sr. Cortesia".

Depois de concluir seu trabalho no Salem College, Jennings foi eleito para o Congresso, onde serviu ao povo da Virgínia Ocidental por catorze anos. E gostaria de contar a vocês apenas uma das maneiras pelas quais ele seguiu o hábito de ir além.

Durante o verão, depois que o Congresso entrou em recesso e a maioria dos outros congressistas voltou para casa com a finalidade de tratar de assuntos privados, Jennings permaneceu em seu escritório em Washington, mantendo sua equipe como de costume, a fim de prestar serviços contínuos aos eleitores.

Ele não precisava fazer isso. Não era esperado dele. Ele também não recebeu um pagamento extra por fazer isso – ou seja, nenhum pagamento proveniente de seu contracheque do governo.

Toda realização bem-sucedida começa com definição de propósito. Nenhum homem pode esperar ter sucesso a menos que saiba precisamente o que quer e condicione sua mente para completar a ação necessária para alcançá-lo.

Mas chegou um dia em que esse hábito de ir além do padrão começou a dar bons frutos. Esse hábito chamou a atenção do presidente da Capital Airlines, que o nomeou assistente do presidente e diretor de relações públicas da empresa.

Trinta e cinco anos atrás, Jennings Randolph me ouviu descrever os benefícios que alguém pode receber ao se esforçar mais, quando fiz meu primeiro discurso de formatura no Salem College. Ele ficou impressionado com o que ouviu. Randolph estava pronto para a mensagem. Em seguida, declarou sua intenção de abraçar esse princípio e aplicá-lo em todas as suas relações humanas.

Jennings Randolph prosperou, e seus amigos são uma legião em toda a nação, porque ele reconheceu que tudo o que fazemos pelo outro ou para outro, fazemos por nós ou para nós mesmos – que nenhum serviço útil pode ser prestado sem sua justa recompensa, embora a recompensa possa não voltar da fonte para a qual prestamos o serviço.

"Os homens sofrem por toda a vida", disse Emerson, "sob a superstição tola de que podem ser enganados. Mas é tão impossível para um homem ser enganado por alguém além de si mesmo, quanto para uma coisa ser e não ser ao mesmo tempo. Há uma terceira parte silenciosa em todos os nossos negócios. A natureza e a alma das coisas assumem a garantia do cumprimento de cada contrato, para que o serviço honesto não seja prejudicado. Se você serve a um mestre ingrato, sirva-o ainda mais. Cada golpe será reembolsado. Quanto mais tempo o pagamento for retido, melhor para você; juros compostos sobre juros compostos são a remuneração desse tesouro."

Assim que Paul Harris se formou na faculdade de direito, deparou-se com o problema de construir uma clientela.

Ele nunca tinha ouvido falar do princípio de Ir além, como tal. Mas colocou-o para funcionar de forma tão eficaz que viveu para ver o dia em que rejeitou mais clientes em potencial que não poderia atender do que aqueles que aceitou.

Seu plano era simples. Ele convidou um grupo de homens de negócios e profissionais para se encontrar no almoço semanal no que ele chamou de Rotary Club. O objetivo original do clube era inspirar seus sócios a patrocinar uns aos outros e induzir outras pessoas a patrocinarem sócios do clube.

O plano funcionou com tanto sucesso que o Rotary é hoje uma instituição internacional com influência para a melhoria da humanidade em todo o mundo. Não há nada que impeça vocês, rapazes, que planejam entrar em uma profissão de adotar o princípio de Paul Harris e dar a ele uma aplicação que pode aumentar sua amizade e construir boa vontade para vocês como aconteceu com ele.

Autodisciplina

O quarto elemento essencial para o sucesso é a autodisciplina. Isso significa domínio de si mesmo sobre as faculdades mentais e o corpo físico. A autodisciplina começa com um desejo ardente de se tornar o mestre de si mesmo. A motivação necessária para manter esse desejo alerta e ativo é o reconhecimento do fato de que, quando alguém se torna senhor de si mesmo, pode se tornar senhor de muitas coisas – incluindo as falhas, derrotas e problemas que encontramos ao longo do caminho.

Outro motivo inspirador que deve manter vivo o desejo ardente de autodomínio é o reconhecimento do verdadeiro significado do presente do Criador do direito incontestável de controlar e dirigir sua própria mente.

Milo C. Jones trabalhava em uma pequena fazenda perto de Fort Atkinson, em Wisconsin. Suas horas eram longas, o trabalho era árduo, e todos os membros de sua família tinham que ajudar para sobreviver.

Então o desastre aconteceu. Milo foi atingido por uma paralisia dupla e ficou totalmente privado do uso de seu corpo. Seus dias de lavoura acabaram para sempre.

Sua família o colocava em uma cadeira de rodas na varanda todos os dias, onde ele se sentava ao sol enquanto outros familiares continuavam com o trabalho da fazenda.

Certa manhã, cerca de três semanas depois de sofrer a paralisia, ele fez uma descoberta estupenda. Descobriu que tinha uma mente.

Visto que sua mente era a única coisa que lhe restava com a qual poderia exercer qualquer tipo de disciplina, ele começou a colocá-la para funcionar. Como resultado, teve uma ideia que trouxe felicidade e riqueza para ele e sua família.

Chamando a família em torno de si, ele disse: "Quero que vocês plantem milho em cada acre de nossa terra. Comecem a criar porcos com esse milho e, enquanto eles ainda forem jovens e macios, abatam-nos e transformem-nos em 'Little Pig Sausage' [Linguiça de Porquinho]".

"Little Pig Sausage" tornou-se uma palavra familiar em toda a América, e Milo C. Jones viveu para ver sua criação torná-lo um homem muito rico. Embora tenha aprendido muito tarde, ele fez a descoberta que eu confio que cada um de vocês, os jovens, farão no início da carreira: ele descobriu que não há limites para o poder da mente, exceto aqueles que se estabelecem para si mesmo por meio de dúvidas, medos, falta de ambição ou definição de propósito.

Seu primeiro dever ao formar o hábito da autodisciplina é tentar obter o controle total e completo da própria mente e direcioná-la a objetivos definidos a partir dos quais você possa obter sabedoria, bem como prosperidade material e espiritual.

Então você precisará de disciplina sobre a raiva. Você pode conseguir isso reconhecendo que ninguém pode deixá-lo com raiva sem o seu total consentimento e cooperação. Você não precisa dar essa cooperação.

Você precisará de disciplina sobre suas emoções sexuais, aprendendo a arte de transmutar essa profunda força criativa em canais que o ajudarão no chamado que escolheu.

Você precisará de disciplina em seu tom de voz, para torná-lo gentil, mas convincente.

Você precisará de disciplina sobre tudo que ingerir em seu corpo físico na forma de comida, bebida, drogas, álcool e fumo. Lembre-se, seu corpo é o templo de Deus, dado a você como uma casa para a proteção de sua mente e alma.

Você precisará de disciplina na escolha de associados pessoais.

Você precisará de disciplina sobre seus hábitos de pensamento, mantendo sua mente ocupada pensando e planejando as coisas e circunstâncias que deseja e fora daquelas que não deseja.

Você precisará de disciplina para evitar a procrastinação.

Você precisará de disciplina sobre a emoção do amor. Se você ama sem que seu amor seja correspondido, fique satisfeito por ser você quem mais ganhou, porque a expressão de amor acrescentou refinamentos à sua alma. Portanto, não perca tempo com o amor não correspondido – e destrua a ideia de que se pode amar apenas uma vez.

Você precisará se disciplinar para reconhecer que tudo o que acontece com você, seja bom ou ruim, provavelmente teve causa em algum lugar dentro de você – seja por seus pensamentos, seja por suas ações ou sua negligência em agir.

Essa é uma ordem e tanto que dei a você.

Mas é possível fazer se você estiver interessado o suficiente em seu futuro. No momento em que tiver preenchido esse pedido, você conhecerá a si mesmo, seus potenciais para o sucesso, seus pontos fracos e seus pontos fortes. E estará em posição de aproveitar ao máximo a prerrogativa que seu Criador lhe deu de controlar mente e corpo.

Fé aplicada

Isso nos leva ao quinto e último dos cinco fundamentos do sucesso. Chama-se Fé aplicada – o tipo de fé que se apoia tanto com ações quanto com fé.

A fé é um estado de espírito que foi chamado de "a mola mestra da alma", e é aquele por meio do qual nossos objetivos, desejos, planos e propósitos podem ser traduzidos em seu equivalente material.

A fé começa com o reconhecimento da existência e dos poderes inexoráveis da Inteligência Infinita.

Não existe uma realidade como uma fé generalizada baseada em uma hipótese não comprovada.

A fé é orientação! Por si só, não trará as coisas que você deseja. Mas pode e vai mostrar-lhe o caminho pelo qual você pode seguir essas coisas.

Pela fé, você pode fazer qualquer coisa que acredita que seja capaz, desde que se harmonize com as leis naturais.

Quando o Dr. Frank W. Gunsaulus era um jovem pregador no South Side de Chicago, seu séquito era pequeno, e sua renda era escassa. Mas havia muito ele acalentava a ideia de construir um novo tipo de instituição educacional no qual os alunos devotassem metade do tempo ao "aprendizado de livros" e a outra metade à aplicação desse treinamento no laboratório de experiência prática.

Ele precisava de US$ 1 milhão para iniciar o projeto. Por isso, pediu orientação por meio da oração. Seus esforços trouxeram resultados imediatos e drásticos – uma ideia que ele acreditava que lhe daria o dinheiro de que precisava.

Frank escreveu um sermão intitulado "O que eu faria com um milhão de dólares" e anunciou nos jornais de Chicago que pregaria um sermão sobre o assunto no domingo seguinte.

Naquela manhã de domingo, antes de deixar sua casa para ir à igreja, ele se ajoelhou e fez a oração mais fervorosa que já havia feito, solicitando que o anúncio de seu sermão chegasse ao conhecimento de alguém que pudesse fornecer o dinheiro que ele buscava.

Então correu para a igreja. Ao subir ao púlpito, porém, descobriu que tinha deixado o sermão cuidadosamente preparado em casa – longe demais para ser recuperado a tempo de pronunciá-lo.

"Bem ali", disse Gunsaulus, "fiz outra oração, e, em questão de segundos, veio a resposta que eu desejava. Dizia: 'Suba ao seu púlpito e conte ao seu público o seu plano, e conte-o com todo o entusiasmo que sua alma puder reunir'."

Gunsaulus fez exatamente isso. Descreveu o tipo de escola que havia muito desejava organizar, como desejava operá-la, os tipos de benefícios que proporcionaria aos alunos e a quantidade de dinheiro de que precisava para mantê-la funcionando.

Aqueles que ouviram o sermão disseram que ele nunca falou assim antes e nunca depois disso, pois estava falando como um homem inspirado com um desejo ardente de prestar um grande serviço.

No final do sermão, um estranho levantou-se do fundo da igreja, caminhou lentamente pelo corredor, sussurrou algo no ouvido do ministro e, em seguida, voltou devagar para seu assento.

Houve um silêncio absoluto.

Então Gunsaulus disse: "Meus amigos, vocês acabaram de testemunhar um dos milagres de Deus. O cavalheiro que acabou de entrar no altar e falou comigo é Philip D. Armour. Ele me disse que, se eu fosse até seu escritório, ele providenciaria o milhão de dólares de que preciso para a escola".

A doação construiu a Armour School of Technology, da qual Gunsaulus se tornou chefe. Nos últimos anos, a escola tornou-se parte do Instituto de Tecnologia de Illinois.

"O mistério de tudo isso", falou Gunsaulus, "foi o motivo pelo qual esperei tanto antes de ir à fonte adequada para a solução do meu problema."

Esse mesmo mistério confundiu muitas outras pessoas que adiaram a oração até depois de tudo o mais ter falhado em trazer os resultados desejados em tempos de necessidade e emergência.

E essa pode ser uma das razões pelas quais a oração tantas vezes traz apenas resultados negativos, como geralmente acontece quando alguém vai orar sem fé verdadeira, depois de ter enfrentado um desastre ou quando o desastre parece iminente.

Recebi uma lição impressionante sobre o poder da oração quando meu segundo filho nasceu, sem audição.

Os médicos me deram a notícia o mais gentilmente possível, na esperança de amenizar o choque. Eles encerraram o anúncio dizendo: "Seu filho, obviamente, sempre será surdo-mudo, porque ninguém nascido como ele jamais aprendeu a ouvir ou falar".

Tudo o que a mente pode conceber e acreditar, ela pode realizar.

Tive uma excelente oportunidade de testar minha fé, e fiz isso dizendo aos médicos que, embora eu não tivesse visto meu filho, havia uma coisa da qual eu tinha certeza: que ele não passaria pela vida como surdo-mudo.

Um dos médicos se aproximou, colocou a mão no meu ombro e disse: "Agora olhe aqui, Napoleon, existem algumas coisas neste mundo que nem você nem ninguém pode fazer a respeito, e essa é uma delas".

"Não há nada sobre o que eu não possa fazer algo", respondi, "se não for mais do que me relacionar com uma circunstância infeliz, de modo a evitar que ela parta meu coração."

Comecei a trabalhar em meu filho orando antes de vê-lo, e fazia isso muitas horas por dia. Depois de três anos, ficou óbvio que ele estava ouvindo. Quanto ele ouviu, não sabíamos.

Mas, quando tinha nove anos, já havia desenvolvido 65% da capacidade auditiva normal. Isso foi o suficiente para levá-lo ao ensino fundamental, ensino médio e ao terceiro ano na Universidade da Virgínia Ocidental, quando a Acousticon Company construiu para ele um aparelho auditivo elétrico que lhe deu capacidade auditiva total, de 100% – exatamente o que eu disse aos médicos que aconteceria.

Dessa experiência veio meu lema: "Tudo o que a mente pode conceber e acreditar, a mente pode realizar". Escrevi esse lema literalmente em lágrimas de tristeza, sob pressão emocional que rasgou meu coração.

E, de alguma forma, nunca poderei descartar o pensamento de que essa experiência foi a mais rica de toda a minha vida, porque me carregou com segurança ao longo de um período de provações no qual aprendi que nossas únicas limitações são aquelas que criamos e aceitamos na mente.

Dei-lhe aqui o que considero os cinco fundamentos do sucesso. Você pode usá-los, se decidir destrancar a porta de seu objetivo desejado na vida.

Por maiores que tenham sido nossos avanços científicos nos 35 anos desde que apareci aqui pela última vez, espero um progresso ainda maior nas próximas três décadas e meia. Mas esses avanços ocorrerão não apenas no campo da ciência. Eles estarão também no campo da própria humanidade.

Um novo espírito está varrendo o mundo, apesar dos temores sombrios gerados pela ameaça de guerra nuclear. O homem está realmente aprendendo que é o guardião de seu irmão! Estamos avançando não apenas no reino material, mas também no reino espiritual. Nunca na história da humanidade tantas pessoas dedicaram tempo, energia e riqueza para ajudar outros homens e mulheres.

Não há objetivo melhor para vocês, jovens, do que se juntar às fileiras desses altruístas.

Lembrem-se de que não encontramos felicidade; a criamos. E, da mesma forma, as coisas que você vende por um preço acabam para sempre, enquanto as que você dá com suas bênçãos sinceras voltam para você grandemente multiplicadas.

O cristianismo se tornou uma das grandes forças da civilização porque seu fundador pagou por ele com a vida e o deu ao mundo com suas bênçãos.

No espírito de amor fraternal, que ele ensinou, eu trouxe esta mensagem com a esperança de que possa ajudar a suavizar o caminho de suas vidas e levá-los para mais perto de seus objetivos escolhidos.

THE NAPOLEON HILL FOUNDATION

What the mind can conceive and believe, the mind can achieve

O Grupo MasterMind – Treinamentos de Alta Performance é a única empresa autorizada pela Fundação Napoleon Hill a usar sua metodologia em cursos, palestras, seminários e treinamentos no Brasil e demais países de língua portuguesa.

Mais informações:

www.mastermind.com.br

Livros para mudar o mundo. O seu mundo.

Para conhecer os nossos próximos lançamentos
e títulos disponíveis, acesse:

www.**citadel**.com.br

/citadeleditora

@**citadeleditora**

@**citadeleditora**

Citadel - Grupo Editorial

Para mais informações ou dúvidas sobre a obra,
entre em contato conosco pelo e-mail:

contato@**citadel**.com.br